义务教育教科书

数学

三年级

上册

人民教育出版社 课程教材研究所
小学数学课程教材研究开发中心 | 编著

人民教育出版社
·北京·

主　　编：卢　江　杨　刚
副 主 编：王永春　陶雪鹤

主要编写人员：沈光中　向鹤梅　林　玲　彭晓玫　武卫民　斯苗儿　陶雪鹤
　　　　　　　王永春　丁国忠　张　华　周小川　熊　华　刘　丽　刘福林
责任编辑：周小川
美术编辑：郑文娟

封面设计：吕　旻　郑文娟
版式设计：北京吴勇设计工作室
插　　图：北京吴勇设计工作室（含封面）

义务教育教科书　数学　三年级　上册

人民教育出版社　课程教材研究所
　　　　　　　　　　　　　　　　　编著
小学数学课程教材研究开发中心

出　　版　人民教育出版社
　　　　　（北京市海淀区中关村南大街 17 号院 1 号楼　邮编：100081）
网　　址　http://www.pep.com.cn
重　　印　山东出版传媒股份有限公司
发　　行　山东新华书店集团有限公司
印　　刷　山东德州新华印务有限责任公司
版　　次　2014 年 6 月第 1 版
印　　次　2018 年 5 月山东第 5 次印刷
开　　本　787 毫米×1092 毫米　1/16
印　　张　7.5
字　　数　150 千字
书　　号　ISBN 978 - 7 - 107 - 28094 - 8
定　　价　7.19 元(上光)

编者的话

亲爱的小朋友:

你们注意到了吗? 生活中处处有数学。

小朋友们,现在就和聪聪、明明一起继续学习数学,探索数学吧!

编者
2013 年 5 月

目　录

计量很短的时间，常用秒。秒是比分更小的时间单位。

秒针

钟面上最长最细的针是秒针。秒针走 1 小格的
时间是 1 秒。

观察一下，秒针走一圈，分针走多少小格？你发现了什么？

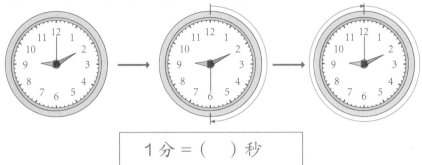

1 分 = （   ）秒

有的电子表可以显示到秒。

6 时 55 分 57 秒

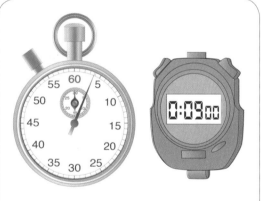

这是秒表。一般在体育运动中
用来记录以秒为单位的时间。

1 秒有多长呢？

眨一下眼是 1 秒。

钟表滴答一
声是 1 秒。

1. 分别用 15 秒进行下面的活动，记录结果。

15 秒有多长时间？

深呼吸（　）次　　　　　　扔了（　）次　　　　　　由 1 写到（　）

另选一项自己喜欢的活动，用 15 秒完成。像上面那样记录活动的结果。

2.

1 分钟有多长？

1，2，3，…，59，60。

试一试 1 分钟你能做些什么，把结果记录下来。

1 2 时 =（　）分　　想：1 时是 60 分，2 时是（　）个 60 分。

60 秒 =（　）分　　　3 分 =（　）秒　　　1 分 40 秒 =（　）秒

2

离家

到校

小明从家走到学校用了多长时间?

阅读与理解

问题是什么?

需要利用哪些信息?

分析与解答

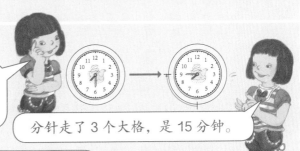

可以直接数一数从 7:30 到 7:45,分针走了多少分。

分针走了 3 个大格,是 15 分钟。

因为都是 7 时多,我直接用 45-30 算出用了 15 分钟。

回顾与反思

7:30 过 15 分钟就是 7:45。解答正确。

答:小明从家走到学校用了 15 分钟。

做一做

现在才早上 8:40,我还要等多久才开门呢?

营业时间
早9:00开门
晚8:00关门

练 习 一

1. 圈出合适的答案。

登鹳雀楼
王之涣

白日依山尽，黄河入海流。
欲穷千里目，更上一层楼。

读一遍这首古诗	
少于1分钟	多于1分钟

做一遍广播体操	
少于1分钟	多于1分钟

2. 在（ ）里填上合适的时间单位。

大约每天睡9（ ）

系红领巾大约需要
20（ ）

做熟饭大约需要
25（ ）

3. 记录自己做下面的事情要用多长时间。

照样画

估计用：	实际用：

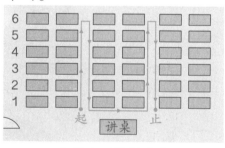

在教室里按绿线走

估计用：	实际用：

4. 在 ◯ 里填上 ">" "<" 或 "="。

9分 ◯ 90秒　　24分 ◯ 4时　　1分15秒 ◯ 65秒

3时 ◯ 200分　　140秒 ◯ 2分　　1时30分 ◯ 90分

5. 做下面的事情，大约要用多长时间？

打开电视用 _____。　　　　唱一首歌用 _____。　　　　刷牙用 _____。

6.

　运动前，1分钟心跳约（　）下，呼吸约（　）次。　→　 跑 50 米　→　运动后，1分钟心跳约（　）下，呼吸约（　）次。

　运动前，1分钟心跳约（　）下，呼吸约（　）次。　→　 跳 80 下　→　运动后，1分钟心跳约（　）下，呼吸约（　）次。

7. 小组同学中的一人计时，其他同学闭上眼睛坐在座位上。如果你认为过了 30 秒，就把手举起来。

（1）核对一下，每人估计的 30 秒实际是多长时间。

（2）小组同学比一比，看谁估计得最准。

（3）请估计得最准的同学说说自己是怎么估计的，你打算怎样调整自己估计的方式？

8.

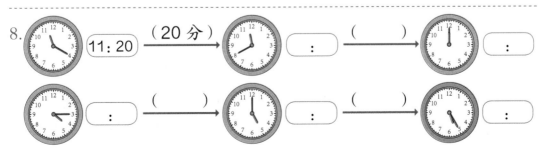

9. 一列火车本应9：15到达，现在要晚点25分钟，什么时候能到达？

10. 连一连。

我跑得最快。

我跑得最慢。

11.（1）上午第一节课用多长时间？

（2）上午10：02同学们正在做什么？

（3）如果你从家到学校要走10分钟，你最晚什么时候从家里出发？说说你的理由。

（4）你能发现上课时间的规律吗？请你填出第四节课的上课时间。

蓝天小学作息时间表 （上午）	
7：40	到校
7：50—8：10	早操
8：20—9：00	第一节课
9：10—9：50	第二节课
10：00—10：05	眼保健操
10：05—10：45	第三节课
	第四节课

本单元结束了，你想说些什么？

成长小档案

1分钟能做好多事情呢！

1秒的时间可真短啊！

2 万以内的加法和减法（一）

五（1）班 41人　　五（2）班 42人

六（1）班 39人　　六（2）班 38人

我们要去参观"世博会"喽！

三（1）班 35人　　三（2）班 36人

四（1）班 36人　　四（2）班 38人

一（1）班 35人　　一（2）班 34人

二（1）班 39人　　二（2）班 44人

 （1）一年级一共要买多少张车票？

$$35+34=\underline{\quad\quad}$$

你会口算吗？

先算 35+30=65，
再算 65+4。

先算 30+30=60，
再算 5+4=9……

$$35+34=69$$

30　4

65

$$35+34=69$$

30　5　30　4

60

9

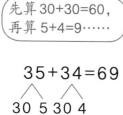

你是怎样口算的？和同学交流一下。

（2）二年级一共要买多少张车票？

$$39+44=\underline{\quad\quad}$$

先算39+40=79，
再算 79+4。

$$39+44=83$$

40　4

79

还可以怎样算？

做一做

请你利用主题图中的信息完成下面的题目，并说说是怎样计算的。

（1）三年级一共要买多少张车票？

（2）四年级一共要买多少张车票？

（3）你能提出其他数学问题并解答吗？

乘坐世博专线大巴最便宜，票价是48元。

普通快客的票价是65元，动车的票价是54元。

（1）普通快客的票价比动车贵多少钱？

$$65-54=\underline{\qquad}$$

先算 65-50=15，再算 15-4。

$$65-54=11$$

50 4

15

（2）世博专线大巴的票价比普通快客便宜多少钱？

$$65-48=\underline{\qquad}$$

先算 65-□=□，再算 □○□。

你是怎样想的？把你的想法和同学说一说。

你能提出其他数学问题并解答吗？

做一做

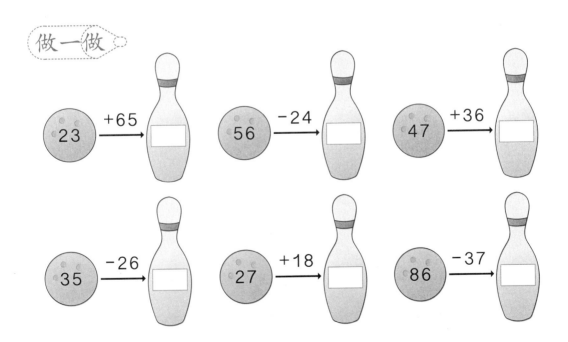

23 —+65→ □

56 —−24→ □

47 —+36→ □

35 —−26→ □

27 —+18→ □

86 —−37→ □

1.

34+		=	
	13		
	25		
	32		
	44		

		+16=	
	38		
	24		
	56		
	62		

2. 口算。

54+28=   76+23=   48+29=   14+73=

74+16=   64+25=   33+25=   14+37=

3.

72 元

58 元

25 元

37 元

我买一个 🌐 和一个 ⏰ 一共 _____ 元。

我买……

4.

一共 _____ 个。

36 个

25 个

5.

57+36=93

57−36=21

| 39 | 48 | **57** | 62 | 40 | 51 | 43 | 50 |
| 9 | **36** | 17 | 5 | 28 | 30 | 24 | 19 |

6.

+12　　　−28　　　+33　　　−42

35 　　□ 　　□ 　　□ 　　□

7.

上半场比赛结束，28 比 43。
2 队领先 _____ 分。

全场比赛结束，
45 比 67。

下半场 2 队得了
_____ 分。

上半场
| 1队 | 2队 |
| 2 8 | 4 3 |

下半场
| 2队 | 1队 |
| 6 7 | 4 5 |

8.

上衣比裤子贵 _____ 元，
上衣和裤子一共 _____ 元。

46 元　　　38 元

3 世博园里的一个纪念品商店，上午卖出 380 个"海宝"，下午卖出 550 个"海宝"。

（1）上午和下午一共卖出多少个"海宝"？

38+55=93
380+550=930

380+550=＿＿＿

百	十	个
3	8	0
+5₁	5	0
9	3	0

为什么百位上不是 8？

（2）下午比上午多卖出多少个"海宝"？

550-380=＿＿＿

55-38=17
550-380=170

百	十	个
⁴5	¹⁵5	0
-3	8	0
1	7	0

为什么百位上是 4 减 3？

做一做

410+250	970-480	340+370	360+240
280-160	630+290	450-260	800-150

六个年级的学生同时看巨幕电影坐得下吗？

阅读与理解

问题是什么？

需要利用哪些信息？

分析与解答

判断能不能坐下，估一估就行。

223 大于 200，234 也大于 200，223+234 一定大于 400，但还是不能确定是否大于 441。

把 223 看成 220，把 234 看成 230。

223>220，234>230，220+230=450，223+234 一定大于 450，坐不下。

回顾与反思

你的估算合理吗？

答：六个年级的学生同时看巨幕电影坐不下。

如果两个旅行团分别有 196 名和 226 名团员，这两个旅行团同时看巨幕电影坐得下吗？

1.

230	320	490	240
+ 540	+ 180	− 130	− 160

360	420	570	920
+ 240	+ 390	− 380	− 860

2.

去年收了 780 千克，今年收了 850 千克。

今年比去年多收了多少千克？

3.

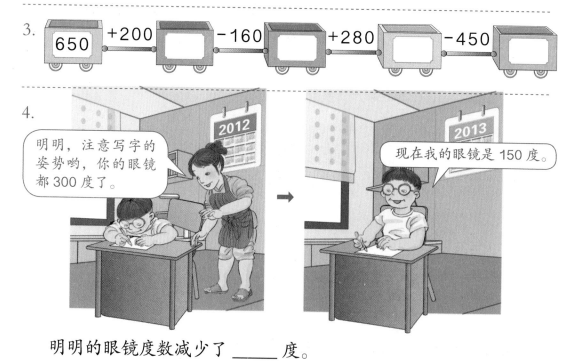

650 +200 □ −160 □ +280 □ −450 □

4.

明明，注意写字的姿势哟，你的眼镜都 300 度了。

2012

2013

现在我的眼镜是 150 度。

明明的眼镜度数减少了 _____ 度。

5. 按要求把下面的数填在相应的圈中。

（1） 203　　195　　123　　285　　308　　215　　114

接近 100

接近 200

接近 300

（2） 452　　441　　447　　459　　436　　458　　463

接近 440

接近 450

接近 460

6.

258+171
720-112
106+438
349+226
864-243
119+201
619-203
525-239
比 500 大
比 400 小

7. 北京到沈阳，飞机票 700 元，动车票 218 元。

从北京到沈阳，坐动车比坐飞机大约便宜多少钱？

8. 245 元　　187 元

妈妈有 400 元，买这两件商品够吗？

9.

360
710
220

+280 =

490
800
320

−270 =

10.

11. 一共有 237 页，大约还有 _____ 页没读。

143

一年级有 150 名学生，二年级有 170 名学生。两个年级共需要 _____ 个一次性注射器。

12.

邮局、电影院和学校在创业大路的一旁。

邮局距学校 280 米，电影院距学校 350 米。

邮局距电影院多少米？

13.

今天大约卖出 _____ 根 🍦。

冷饮店

原有	528 瓶
卖出	184 瓶

上午卖出 🍦	219 根
下午卖出 🍦	392 根

你能提出其他数学问题并解答？

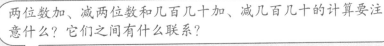

整理和复习

两位数加、减两位数和几百几十加、减几百几十的计算要注意什么？它们之间有什么联系？

650 减 340 其实就是 65 个十减 34 个十。

相同数位上的数才能相加减。

650
−340

1. 口算。

52+35=　　　　86−34=　　　　47+33=　　　　36+20=

23+69=　　　　62−18=　　　　70−26=　　　　65−15=

2. 650+340　　　370+480　　　390+250　　　520+300
840−560　　　750−540　　　440−150　　　600−240

3.

上海科技馆的巨幕影院有 441 个座位。

中国科技馆的巨幕影院有 632 个座位。

中国科技馆的巨幕影院比上海科技馆的大约多多少个座位？

练 习 四

1.

180　360　450　340

340−180=160

自己想一些数，做做看。

2. 在◯里填上 ">" "<" 或 "="。

62+13 ◯ 78　　　83−26 ◯ 57　　　38+47 ◯ 92−17

306+432 ◯ 800　　138+587 ◯ 700　　644−328 ◯ 350

3.

中央广播电视塔
高 405 米

东方明珠广播电视塔
高 468 米

广州塔
高 600 米

广州塔是目前我国第一高塔。

（1）广州塔比中央广播电视塔大约高几百米？

（2）你能提出其他数学问题并解答吗？

本单元结束了，你想说些什么？

成长小档案

★★

我会利用两位数加、减两位数的方法来计算几百几十加、减几百几十。

我知道估算很有用。

3 测量

毫米、分米的认识

1 估一估数学书的长、宽和厚大约是多少厘米。

数学书的长大约是……

宽大约是……

厚大约是……

同学们估得准确吗？用尺子量量看！

我量出的长是……

我量出的宽是……

数学书的厚度不到1厘米，怎么办？

量比较短的物体的长度或者要求量得比较精确时，可以用毫米（mm）作单位。

1厘米中间的每一个小格的长度是1毫米。

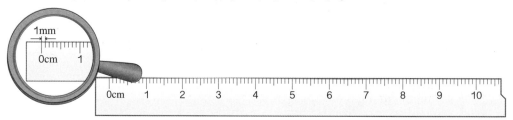

数一数，1厘米里有多少毫米。

$$1厘米 = 10毫米$$

用手势表示出1毫米的长度。

哪些物品的长度大约是1毫米？

1分硬币的厚度
大约是1毫米

身份证的厚度
大约是1毫米

说一说，生活中测量哪些物品一般用"毫米"作单位。

做一做

1. 填一填。

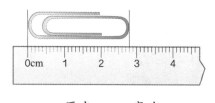

_____厘米_____毫米

_____厘米_____毫米

2. 量一量。

_____毫米

_____毫米

_____毫米

量物体的长度有时也用分米（dm）作单位。

2 拿一把米尺，指出 10 厘米的长度。10 厘米是 1 分米。

1分米

> 1 分米 = 10 厘米

你能用手势表示出 1 分米的长度吗？

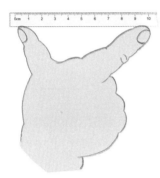
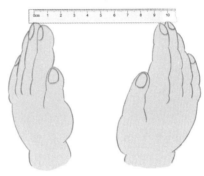

想一想，1 米等于多少分米。

> 1 米 = 10 分米

3

←2厘米→

2 厘米 = （   ）毫米

想：1 厘米是 10 毫米，
2 厘米是（   ）个 10 毫米。

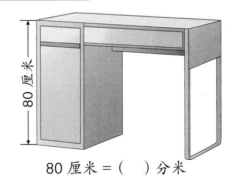

80厘米

80 厘米 = （   ）分米

想：10 厘米是 1 分米，
80 厘米里面有（   ）个 10 厘米。

做一做

7 分米 = （   ）厘米　　5 米 = （   ）分米　　60 毫米 = （   ）厘米

练 习 五

1. 先判断下面哪个图形是正方形，再量一量，看你判断得正确吗。

2. 量出每条边的长度（以毫米作单位）。

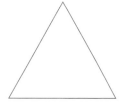 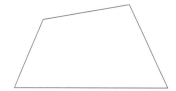 

3. 在（ ）里填上合适的长度单位。

高 1（   ）   宽 5（   ）   长 16（   ）

4. 90 厘米 =（   ）分米   100 毫米 =（   ）分米

   2 米 =（   ）厘米   6 分米 =（   ）厘米

5. 先估计，再测量。

		估 计	测 量
	粉笔的长	____厘米	____厘米 ____毫米
	文具盒的宽	____厘米	____厘米 ____毫米

6. 按要求画线段。

   （1）画一条长 5 厘米 8 毫米的线段。

   （2）画一条长 1 分米的线段。

7. 在（　）里填上合适的单位或数。

   身长 6（　）　　　一步长 5（　）　　　　　　　厚（　）毫米

8. 在○里填上"＞""＜"或"＝"。

   5 分米 ○ 5 毫米　　8 毫米 ○ 2 厘米　　6 厘米 ○ 60 毫米

   1 米 ○ 7 分米　　9 毫米 ○ 3 分米　　4 分米 ○ 4 米

9. 用一根长 2 米的木料，锯成同样长的 4 根做凳子腿。这个凳子的高大约是多少？

10.* 一根 4 分米长的绳子，对折再对折后，每段绳子有多长？

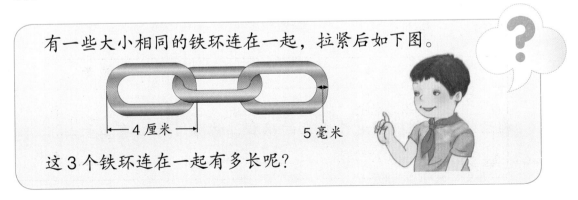

有一些大小相同的铁环连在一起，拉紧后如下图。

←4 厘米→　　　5 毫米

这 3 个铁环连在一起有多长呢？

4 计量比较长的路程，通常用千米*（km）作单位。

1千米有多长呢？

运动场的跑道，通常1圈是400米，2圈半是1000米。1000米用较大的单位表示是1千米。

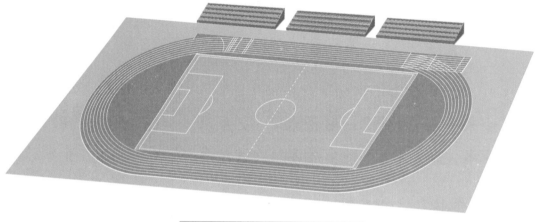

1 千米 =1000 米

到操场上量出100米的距离，走一走，看看有多远。几个这样的长度是1千米？

10 个 100 米就是 1 千米。

做一做

和老师一起到校外走1千米的路程，体验1千米有多长。

———————

* "千米"也叫"公里"。

5 3千米 = （　　）米　　　想：1千米是1000米，3千米是（　　）个1000米。

5000米 = （　　）千米　　　想：1000米是1千米，5000米里面有（　　）个1000米。

做一做

（　　）米　　　2000米　　　（　　）米

0　　　1千米　　　（　　）千米　　　（　　）千米

6 估一估，从你家到学校大约有多远。

估计一下，从你家到附近的商店大约有多远。

做一做

估计教室的长、宽各是多少。

练习六

1. 测量下面的长度应该用什么作单位? 把它填在 ( ) 里。

 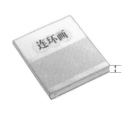 

马拉松长跑比赛全程 ( )　　书的厚度 ( )　　过街天桥的长度 ( )

2. 行1千米需要多长时间? 把出行方式和相应的时间连接起来。

15秒　15分　1小时　　　4秒　4分　1小时　　　1秒　1分　1小时

3. 一个游泳池长50米, 如果游1千米, 要游多少个这样的长度?

4. 　8千米 = ( ) 米　　　　700米 +300米 = ( ) 千米

　6000米 = ( ) 千米　　　3千米 −1千米 = ( ) 米

5. 在 ( ) 里填上合适的长度单位。

 黄瓜长20 ( )　　 小阳立定跳远跳了15 ( )

6. 估计从教室到校门口大约有多远。说说你是怎样估计的。

7. 选一段距离, 估计一下它有多长。

8.

跑道一圈长
400 米。

小帅跑了 5 圈，他一共跑了几千米？

9. 下面的说法正确吗？正确的画"√"，错误的画"×"。

（1）字典厚 40 毫米。 （ ）

（2）毛巾长 8 厘米。 （ ）

（3）黑板长 20 分米。 （ ）

（4）小红家距奶奶家 20 千米，她最好步行去。 （ ）

10. 从小伟家到体育场怎么走最近？要走多少米？把最近的路线描出来。

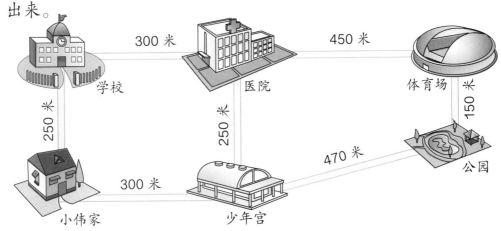

11. 300 厘米 =（ ）米

4 千米 =（ ）米

30 毫米 =（ ）厘米

50 分米 =（ ）米

12. 调查下面这些交通标识的含义。

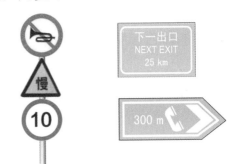

29

13. 王老师每天从家步行20分钟到学校，他每分钟大约走100米。王老师的家距学校大约有多远？

14.

明天要去植物园看花展。

植物园离我们这里有3千米。

到黄山大约有1200千米。

"十一"要放七天假呢！

到黄山去吧！

周末表哥要带我去沙湖玩。

沙湖离我们这里有30千米。

他们选择什么出行方式去比较合适？了解一下，大概需要多长时间才能到达？

15.* 妈妈带小明坐长途汽车去看奶奶，途中要走308千米。他们上午8时出发，汽车平均每小时行80千米，中午12时能到达吗？

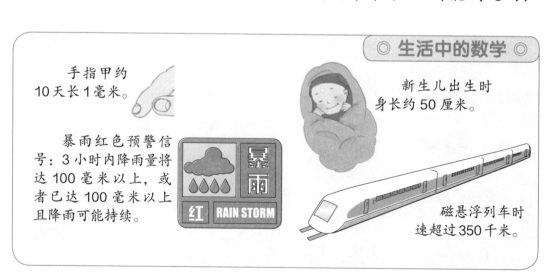

手指甲约10天长1毫米。

暴雨红色预警信号：3小时内降雨量将达100毫米以上，或者已达100毫米以上且降雨可能持续。

红 RAIN STORM

◎ 生活中的数学 ◎

新生儿出生时身长约50厘米。

磁悬浮列车时速超过350千米。

吨的认识

7 计量较重的或大宗物品的质量，通常用吨（t）作单位。

1吨有多重呢？

每袋大米重100千克，10袋大米重多少千克？

$$1\text{吨} = 1000\text{千克}$$

这名同学的体重是25千克，10名这样重的同学大约重多少千克？40名这样重的同学呢？

40名这样重的同学约重1吨！

做一做

1. 说一说，日常生活中什么情况下用吨作单位。

我的体重用吨作单位。

我的载质量用吨作单位。

2. 在（ ）里填上适当的数，使每种东西的总重恰好是1吨。

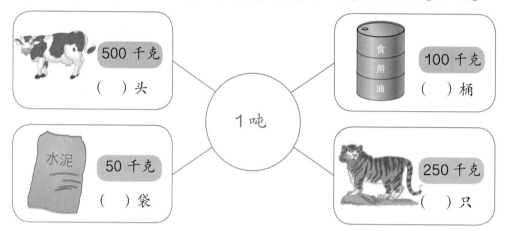

500 千克
（ ）头

水泥 50 千克
（ ）袋

1 吨

食用油 100 千克
（ ）桶

250 千克
（ ）只

8 4 吨 =（ ）千克

想：1 吨是 1000 千克，4 吨是（ ）个 1000 千克。

3000 千克 =（ ）吨

想：1000 千克是 1 吨，3000 千克里面有（ ）个 1000 千克。

做一做

一只大象重6000千克，也就是（ ）吨。

一辆卡车载质量5吨，也就是（ ）千克。

9 下面两辆车可以用来运煤。如果每次运煤的车都装满，怎样安排能恰好运完 8 吨煤？

载质量 2 吨

载质量 3 吨

阅读与理解

怎样派车能恰好把 8 吨煤运完？

分析与解答

可以用列表的方法，把不同的方案都列出来。

如果只用 2 吨的车，正好运 4 次。

派车方案	2 吨	3 吨	运煤吨数
①	4 次	0 次	8 吨 ✓
②	3 次	1 次	9 吨
③	2 次	2 次	10 吨
④	1 次	2 次	8 吨 ✓
⑤	0 次	3 次	9 吨

回顾与反思

检验一下，看第①、④两种方案是不是恰好运完 8 吨煤。

答：派车方案①和④都可以恰好把煤运完。

做一做

小明有 5 元和 2 元面值的人民币各 6 张。如果要买一个 30 元的书包，有几种恰好付给 30 元的方式？

练 习 七

1. 把动物和合适的体重连起来。

50 吨   80 千克   6 千克   4 吨

2. 在（   ）里填上合适的单位。

约重 220（   ）   约重 3（   ）   出租车每天大约行驶 300（   ）

3. 7 吨 =（   ）千克   1600 千克 − 600 千克 =（   ）吨

   9000 千克 =（   ）吨   1 吨 − 400 千克 =（   ）千克

4.

用两辆载质量 2 吨的货车运这些机器，怎样装车能一次运走？

5. （1）调查一下你家每月的用水量是多少吨。

   （2）每个月少用 1 吨水，你认为能做到吗？和爸爸妈妈商量一下，可以采用哪些节水方法。

6. 下面的说法正确吗？正确的画"✓"，错误的画"✗"。

重 5 吨（　　）

冰箱高 15 分米（　　）

老奶奶重 65 克（　　）

7. （1）如果每条船都坐满，可以怎样租船？

（2）*如果租一条  10 元，租一条 8 元，哪个租船方案最省钱？

我们一共 28 人。

小船限坐4人
大船限坐6人

8.

哪几个可以一起过桥？

这里有牌子。

限重 1 吨

340 千克

500 千克

160 千克

240 千克

本单元结束了，你想说些什么？

我知道 1 毫米有多长，1 分硬币的厚度约是 1 毫米。

40 个 25 千克重的同学大约重 1 吨。

成长小档案

★★★

4 万以内的加法和减法（二）

1. 加 法

丹顶鹤（hè）

蜥（xī）蜴（yì）

麋（mí）鹿

狐狸

中国湿地部分动物种类

类 群	种 数
鸟 类	271
爬行类	122
哺乳类*	31

湿地孕育了丰富多样的野生动物。

*哺乳类的主要特征是胎生、哺乳，体温恒定，一般身体表面长有体毛。如狐狸、麋鹿等都属于哺乳类。

36

1 我国湿地鸟类和爬行类动物一共有多少种？

$$271+122=\underline{\quad\quad}$$

想一想：竖式应该怎样写？

```
    2 7 1
+   1 2 2
---------
  □ □ □
```

从哪一位加起？

2 我国湿地鸟类和哺乳类动物一共有多少种？

$$271+31=\underline{\quad\quad}$$

十位上 3+7=10，怎样写？

```
    2 7 1
+     3 1
---------
  □ □ 2
```

想一想：271+903，怎样计算？

```
    2 7 1
+   9 0 3
---------
  □ □ 7 4
```

百位上相加满十，怎么办？

小组讨论：计算万以内的加法要注意什么？

相同数位对齐。

从个位加起。

哪一位上的数相加满十，就要向前一位进1。

做一做

列竖式计算。

919+80   476+121   93+802   545+54

365+825   719+252   281+64   65+93

3 某湿地有野生植物445种，野生动物298种。该湿地的野生植物和野生动物共有多少种？

$$445+298=\underline{\hspace{2cm}}$$

我列竖式计算。

```
    4 4 5
+ 2 ₁9 ₁8
───────
    7 4 3
```

算得对不对呢？你会验算吗？

可以交换445、298的位置，再算一遍。

```
    2 9 8
+ 4 ₁4 ₁5
───────
    7 4 3
```

你是怎样验算的？

做练习时要养成验算的好习惯哦！

做一做

先想一想是否有进位，再计算并验算。

165	409	746	67
+ 78	+ 394	+ 268	+ 95

1.　　　365　　　　　　201　　　　　　649　　　　　　297
　　　+　43　　　　　+ 594　　　　　+ 326　　　　　+ 612

2. 先估一估，再计算下面各题。
　　659+306　　　　　　483+321　　　　　　806+574
　　68+527　　　　　　　238+91　　　　　　　353+726

3. 连一连。

123　　　650　　　568　　　836

271　297　　　71　52　　　54　782　　　525　125

4.　638+93　　　　　　697+235　　　　　　475+126
　　532+407　　　　　　169+450　　　　　　986+114

5. 下面的计算正确吗？把错误的改正过来。

```
  135          427          162
+  69        + 543        + 959
-----        -----        ------
  825          960         1011
```

6. 下面哪两个数相加得 1000？连一连。

 536　　127　　208　　792　　351

915　　464　　649　　85　　873

7. 把算式和相应的得数连起来。

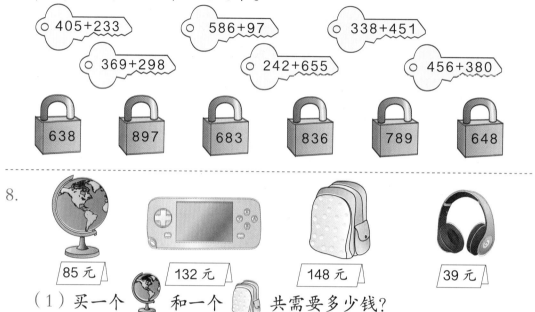

405+233   586+97   338+451

369+298   242+655   456+380

638   897   683   836   789   648

8.

85元   132元   148元   39元

（1）买一个 🌐 和一个 🎒 共需要多少钱？

（2）你想买什么？要花多少钱？

（3）和同桌互相提一个数学问题并解答。

9. 星期天上午，小君要去寄信、买书、买食品，然后再回家。小君可以怎样走？走哪条路最近？

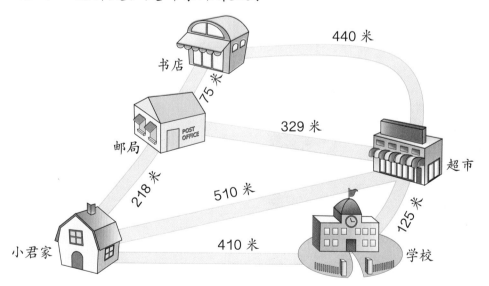

书店   440 米

75 米   329 米

邮局

218 米   510 米   超市

小君家   410 米   125 米   学校

10.* 只用数字 8 组成五个数，填入下面的方框里，使等式成立。

☐ + ☐ + ☐ + ☐ + ☐ =1000

2. 减 法

国产电视动画片生产情况统计表

年　份	2004	2005	2006	2007	2008	2009	2010	2011
总数／部	29	86	124	186	249	322	385	435
优秀／部	—	41	32	33	50	52	81	82

1 2011 年比 2009 年多生产多少部动画片？

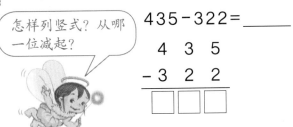

怎样列竖式？从哪一位减起？

$$435-322=\underline{\hspace{2cm}}$$

```
    4 3 5
  - 3 2 2
  ───────
  □ □ □
```

2 2005 年比 2011 年少生产多少部动画片？

$$435-86=\underline{\hspace{2cm}}$$

```
    4 3 5
  -   8 6
  ───────
  □ □ 9
```

十位怎样算？

小组讨论：计算万以内的减法要注意什么？

从个位减起。

相同数位对齐。

哪一位上的数不够减，要从前一位退 1……

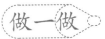

做一做

列竖式计算。

844-21	353-123	278-75	406-102
354-66	480-85	133-74	261-52

41

3 2004 年计划生产 158 部国产电视动画片，2005 年计划生产 403 部国产电视动画片。2005 年比 2004 年计划多生产多少部动画片？

$$403-158=\underline{\qquad}$$

```
   4 0 3
 - 1 5 8
 ┌─┬─┬─┐
 │ │ │5│
 └─┴─┴─┘
```

个位不够减，十位上是 0，该怎么退 1 呢？

怎样验算呢？

可以用被减数减去差，看是不是等于减数。

可以用加法验算。

```
   4 0 3
 - 2 4 5
 ───────
   1 5 8
```

```
   2 4 5
 + 1 5 8
   ₁ ₁
 ───────
   4 0 3
```

做一做

想一想、拨一拨，再计算。

500-268

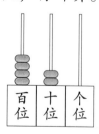

420-56

306-197

1000-520

销售清单

产品名称	护眼灯	学习机	空调扇
产品样式			
产品价格	166 元	225 元	558 元

您买这三种商品,一共收……

（1）小红的爸爸大约应该准备多少钱才够?

（2）收银员应收多少钱?

爸爸大约应该准备多少钱才够呢?

小红

阅读与理解 问题是什么?
需要利用哪些信息?

分析与解答

大约准备多少钱才够,不用精确计算,取它们的近似数算一算就行。

收银员收钱要准确,要精确计算。

170+230+560
=400+560
=960(元)

166+225+558=949(元)

$$
\begin{array}{r}
1\,6\,6 \\
2\,2\,5 \\
+\,5_1\,5_1\,8 \\
\hline
9\,4\,9
\end{array}
$$

回顾与反思 解决实际问题时,要认真分析具体情况,再灵活选择解决的策略。

答:＿＿＿＿＿＿＿＿＿＿＿。

　　请你在生活中发现并提出一些数学问题,选择合适的计算策略并解决它们。

练 习 九

1. 先说说十位、百位各怎样减，再计算。

$$\begin{array}{r} 438 \\ -\ 256 \\ \hline \end{array}$$

$$\begin{array}{r} 392 \\ -\ 178 \\ \hline \end{array}$$

$$\begin{array}{r} 940 \\ -\ 59 \\ \hline \end{array}$$

$$\begin{array}{r} 105 \\ -\ 42 \\ \hline \end{array}$$

2. 科技园内上午有游客892人，中午有265人离开。下午又来了403位游客，这时园内有多少位游客？

园内全天来了多少位游客？

3.

加数		294	359
加数	403		471
和	780	527	

被减数	869	692	
减 数	578		147
差		369	258

4.

610-456
594-129
705-245
643-57
900-325
305-187

465　575　118　154　460　586

5.

被减数	459	745	702	963	800
减 数	68	679	564	804	695
差					

6. 计算下面各题，并验算。

500-437　　602-375　　1000-599　　508-229

7.

水果部销售情况统计表

	苹果	梨	香蕉	橘子
原有 / 千克	250		105	200
卖出 / 千克	145	212	88	
还剩 / 千克		98		105

8. 选择合适的方法计算。

980-76   256+475   806-327   538+94

9. 找朋友。

528-89
737-520
405-228
556-379
352-135
259-180
900-461
208-129

10. 每张卡片上的两个数的和是多少？差是多少？

| 674 | 755 | 205 | 340 | 503 |
| 245 | 155 | 89 | 153 | 108 |

11. 在 □ 里填上合适的数。

```
  □ □ 4                □ 6 □                □ 4 5
-  4 2 □              + 3 □ 4              +   □ 5
───────              ───────              ───────
  4 7 1                8 0 3              9 □ 0
```

12.

194 米
165 米
248 米

夏季，湖里要围出一块水域作为垂钓园，如图所示。准备多长的网就够了？

13.

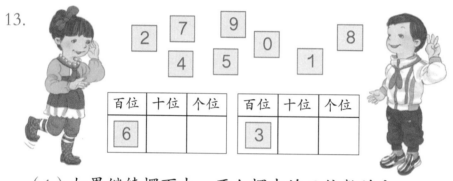

百位	十位	个位
6		

百位	十位	个位
3		

（1）如果继续摆下去，两人摆出的三位数的和接近多少？差呢？你是怎样想的？

（2）准备这样的卡片，和同桌两人像这样只摆最高位，说一说和接近多少，差接近多少。

14. 把货物全部运上去，可以怎样运？写出你的方案（一种即可）。

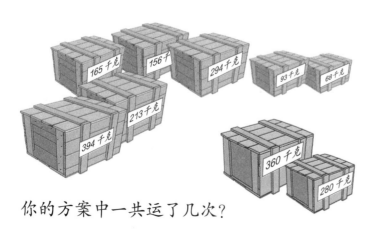

165千克　156千克　294千克　93千克　68千克

394千克　213千克

360千克　280千克

限重 450 千克

175千克

你的方案中一共运了几次？

整理和复习

1.　413+587　　　229+85　　　671+322　　　160+594

　　（1）哪些算式中的个位相加不需要进位？哪些算式中个位、
　　　　　十位都要进位？

　　（2）计算时要注意哪些问题？

2.　862-715　　　739-58　　　310-224　　　400-319

　　（1）哪些算式中的十位相减不需要退位？哪些算式中个位、
　　　　　十位相减都要退位？

　　（2）计算时要注意哪些问题？

> 从以上的加减法算式中各选一个进行验算，并说说你是怎样做的。

3.　（1）计算下面各题。

　　　　　37+225　　　263+678　　　324-143　　　701-407

　　（2）圈出得数大于 200 的算式。

　　　　　159+97　　　969-789　　　104+89　　　300-101

　　（3）

> 我的网上书店上午接了 279 个订单，下午接了 395 个订单。

今天准备 600 张快递单够吗？还差多少张快递单？

练习十

1. 计算并验算。

$$
\begin{array}{r} 423 \\ + 349 \\ \hline \end{array}
\qquad
\begin{array}{r} 500 \\ - 453 \\ \hline \end{array}
\qquad
\begin{array}{r} 726 \\ + 598 \\ \hline \end{array}
\qquad
\begin{array}{r} 501 \\ + 389 \\ \hline \end{array}
$$

$$
\begin{array}{r} 746 \\ + 163 \\ \hline \end{array}
\qquad
\begin{array}{r} 940 \\ - 762 \\ \hline \end{array}
\qquad
\begin{array}{r} 708 \\ - 389 \\ \hline \end{array}
\qquad
\begin{array}{r} 301 \\ - \ \ 84 \\ \hline \end{array}
$$

2. 用 900 个鸡蛋孵小鸡，上午孵出了 337 只小鸡……

下午比上午多孵出 118 只。

（1）下午孵出了多少只小鸡？

（2）这一天共孵出了多少只小鸡？

（3）还剩下多少个鸡蛋没有孵出小鸡？

3. 下面的计算正确吗？把错误的改正过来。

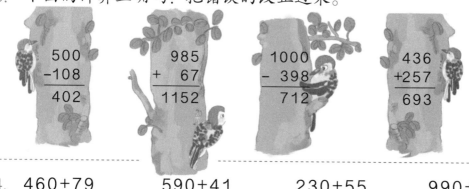

$$
\begin{array}{r} 500 \\ - 108 \\ \hline 402 \end{array}
\qquad
\begin{array}{r} 985 \\ + \ \ 67 \\ \hline 1152 \end{array}
\qquad
\begin{array}{r} 1000 \\ - \ 398 \\ \hline 712 \end{array}
\qquad
\begin{array}{r} 436 \\ + 257 \\ \hline 693 \end{array}
$$

4. 460+79   590+41   230+55   990+63
   109-13   350-79   1000-7   214-108

5. 78-29+355   9×9-67   395+72÷8
   (352-289)÷7   105-6×8   593-(271+169)

6. 解决问题。

110 元   328 元   208 元   85 元   259 元

152 元   120 元   245 元   98 元   496 元

（1）用 500 元可以买哪些商品？

（2）选中你要买的商品，算一算要付多少钱。

7.

上层	126 本
中层	157 本
下层	95 本

提出一个数学问题，并选择合适的方法解决它。

在右面同样的图形中，填上同样的数字。

```
     ○  8  ○
  +  △  □  ○
  ─────────────
     △  □  ○  8
```

本单元结束了，你想说些什么？

我知道有些时候用精确计算，有些时候用估算。

我发现万以内的加减法和百以内的加减法的计算法则是一致的。

5 倍的认识

1

2 根

3 个 2 根

我们说 🥕 的根数是 🥕 的 3 倍。

圈一圈，🥕 有（　）个 2 根，🥕 的根数是 🥕 的（　）倍。

1. ● 的个数是 ○ 的（　）倍，● 的个数是 ○ 的（　）倍。

2. 第一行摆：／／／／／

   第二行摆： | 第一行的 4 倍 |

   第二行摆（　）个 5 根，一共是（　）根。

擦桌椅的有 12 人。

扫地的有 4 人。

擦桌椅的人数是扫地的几倍?

阅读与理解

知道了擦桌椅和扫地的学生各有多少人。

问题是擦桌椅的人数是扫地的几倍。

分析与解答

我画了一张示意图,能清楚地看出擦桌椅的人数是扫地的 3 倍。

擦桌椅的: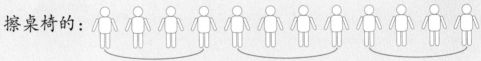

扫地的:

要求擦桌椅的人数是扫地的几倍,就是求 12 里面有几个 4,用除法计算。

$$12 \div 4 = 3$$

回顾与反思

扫地的 4 人,4 的 3 倍是 12,正好是擦桌椅的人数,解答正确。

答:擦桌椅的人数是扫地的 3 倍。

军棋的价钱是 8 元, 象棋的价钱是军棋的 4 倍。

象棋的价钱是多少元?

阅读与理解

知道了军棋的价钱, 要求象棋的价钱。

还知道了两种价钱之间的关系。

分析与解答

可以画图帮助理解。

军棋: |_____|
　　　　 8 元

象棋: |_____|_____|_____|_____|
　　是军棋的 4 倍
　　　　　 ? 元

想: 要求象棋的价钱, 就是求 ( ) 个 ( ) 是多少。

$$8 \times 4 = 32 （元）$$

回顾与反思

32 元是 8 元的 4 倍吗?

答: 象棋的价钱是 32 元。

练 习 十 一

1. （1）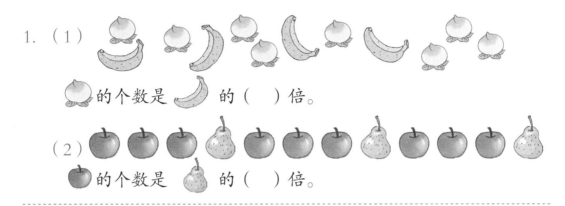

   🍑 的个数是 🍌 的（　）倍。

   （2）

   🍎 的个数是 🍐 的（　）倍。

2. 长跳绳的长度是短跳绳的几倍？

   短跳绳：

   长跳绳：

3.

   8 只　18 只　6 只　24 只

   （1）小鹿的只数是小猴的几倍？

   □ ○ □ = □

   （2）你能提出其他数学问题并解答吗？

4.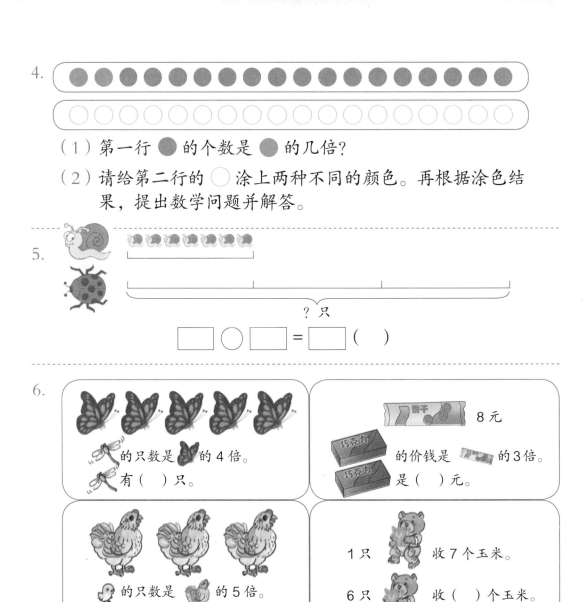

（1）第一行 ● 的个数是 ● 的几倍？

（2）请给第二行的 ◯ 涂上两种不同的颜色。再根据涂色结果，提出数学问题并解答。

5.

? 只

□ ◯ □ = □ （ ）

6.

🦋🦋🦋🦋🦋

蜻蜓 的只数是 蝴蝶 的 4 倍。

蜻蜓 有（ ）只。

饼干 8 元

巧克力 的价钱是 饼干 的 3 倍。

巧克力 是（ ）元。

🐔🐔🐔

小鸡 的只数是 鸡 的 5 倍。

小鸡 有（ ）只。

1 只 🐻 收 7 个玉米。

6 只 🐻 收（ ）个玉米。

7.

王平只踢了 3 个。

李芳踢了 18 个。

（1）李芳踢的个数是王平的几倍？

（2）刘梅踢的个数是王平的 2 倍。刘梅踢了多少个？

（3）你还能提出其他数学问题并解答吗？

8.

我今年6岁。

我的年龄是你的6倍。

小丽

爸爸

（1）爸爸今年多少岁？

（2）去年爸爸的年龄是小丽的多少倍？

9.（1）小红有8颗黄珠子，红珠子的数量比黄珠子的6倍多6颗。红珠子有多少颗？

（2）小红想用这些珠子来做一串项链。红珠子的数量不变，要使红珠子的数量是黄珠子的6倍，需要增加几颗黄珠子？

10.* 一种细菌，每过1分钟，就由原来的1个变成2个。经过3分钟，这种细菌的数量是原来的多少倍？

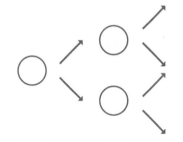

| 1 | 1分钟 → | 2 | 1分钟 → | | 1分钟 → | |

11.*

我抱了5个玉米。

把我的玉米给你3个后，我的玉米个数是你的2倍。

熊妈妈原来抱了多少个玉米？

本单元结束了，你想说些什么？

我会用画图的方法解决生活中的实际问题。

我知道一个数的几倍表示什么意思。

成长小档案

★★★★★

6 多位数乘一位数

1. 口算乘法

游乐园项目价格表		
	名称	价格 (每人每次)
1	旋转木马	5元
2	激流勇进	10元
3	过山车	12元
4	登月火箭	8元
5	碰碰车	20元

你能提出用乘法解决的数学问题吗?

56

坐碰碰车每人 20 元，3 人需要多少钱？

$$20×3= \underline{\qquad}$$

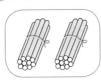

20+20+20=60

2 个十乘 3 是 6 个十，就是 60。

想一想：200×3=＿＿＿＿＿

2 坐过山车每人 12 元，3 人需要多少钱？

$$12×3= \underline{\qquad}$$

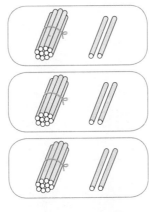

10×3=30
2×3=6
30+6=36

你是怎样算的？

10×3　　2×3

想一想：12×4=＿＿＿＿＿

口算下面各题，说说你是怎样想的。

20×7=	200×7=	700×2=
21×4=	23×2=	32×3=

练 习 十 二

1.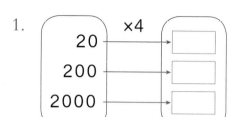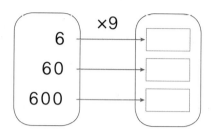

 你发现用一位数乘整十、整百、整千的数怎样计算简便？

2. 一辆儿童三轮车的价钱是 90 元。幼儿园买了 4 辆，一共用了多少钱？

3. 一共运来多少千克苹果？

每箱 30 千克。

4. 口算。

13×2 =   33×2 =

34×2 =   31×3 =

21×3 =   12×2 =

22×3 =   42×2 =

23×3 =   43×2 =

5.

12 只

（1）4 筒一共多少只？

（2）一只羽毛球 3 元，一筒共多少元？

6.

买 24 瓶  需要多少钱？

7.

乘数	90	31	700	44	60	13
乘数	8	2	5	2	6	3
积						

8. 雨燕每小时飞行的距离是野兔每小时奔跑距离的 4 倍。

每小时跑 40 千米　　　　　　　　每小时飞（　）千米

9.　7×8+6　　　　　20×3+98　　　　　2000×4+1980

　　4×6+6　　　　　70×9-120　　　　　(406-385)×3

10. 整十数乘一位数且积是 240 的乘法算式，你能写出多少个？

11. 张宏每个月节省 20 元零花钱，请填写下表。

	2个月	3个月	4个月	5个月	6个月
钱数／元					

2. 笔算乘法

怎样算一共有多少支彩笔？

12×3= ＿＿＿

我用口算。

还可以用竖式计算。

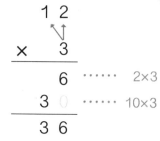

```
    1 2
  ×   3
  ─────
      6  ······ 2×3
    3 0  ······ 10×3
  ─────
    3 6
```
→
```
    1 2
  ×   3
  ─────
    3 6
```

 做一做 :

1.
```
    3 4          1 2          3 1 2        2 1 1
  ×   2        ×   4        ×     3      ×     4
  ─────        ─────        ───────      ───────
```

2. 你能说说乘的顺序吗？
```
       3          2 3          1 2 3
     ×  2        ×   3        ×     2
     ────        ─────        ───────
```

我买3套。

一套连环画16本，王老师一共买了多少本连环画？

$$16×3= \underline{\quad\quad}$$

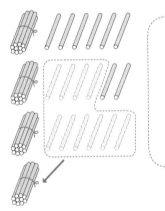

$$
\begin{array}{r}
1\ 6 \\
\times \quad 3 \\
\hline
1\ 8 \\
3\ 0 \\
\hline
4\ 8
\end{array}
$$

1 8 ······ 6×3

3 0 ······ □×□

→

$$
\begin{array}{r}
1\ 6 \\
\times \quad {}_1 3 \\
\hline
4\ 8
\end{array}
$$

十位上的4是怎样得来的？

做一做

1.

$$
\begin{array}{r}
2\ 7 \\
\times \quad 2 \\
\hline
\end{array}
$$
$$
\begin{array}{r}
5\ 1 \\
\times \quad 5 \\
\hline
\end{array}
$$
$$
\begin{array}{r}
5\ 1\ 2 \\
\times \quad 4 \\
\hline
\end{array}
$$
$$
\begin{array}{r}
4\ 2\ 1 \\
\times \quad 3 \\
\hline
\end{array}
$$

2. 列竖式计算。

72×4   93×2   41×8   53×3

611×7   192×2   318×3   284×2

9 箱饮料一共有多少瓶？

$$24×9= \underline{\quad\quad}$$

10 箱是 240 瓶，9 箱一定比 240 瓶少。

24×9 的得数在 180 和 270 之间。

24

比 20 大　比 30 小

20×9=180　30×9=270

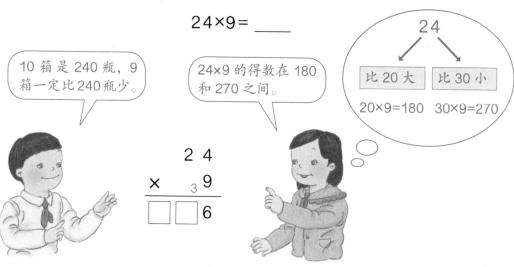

$$\begin{array}{r} 2\ 4 \\ \times\quad {}_3 9 \\ \hline \square\ \square\ 6 \end{array}$$

小组讨论：多位数乘一位数的乘法怎样计算？

从个位起，用一位数依次乘多位数的每一位。

哪一位上乘得的积满几十，就……

在乘法里，乘数也叫做因数。

列竖式计算。

48×7　　　　92×8　　　　137×6　　　　179×4

练 习 十 三

1. 列竖式计算。

   14×2   33×3   21×4   43×2

   423×2   212×3   221×4   132×3

2.  14元   23元   32元

   （1）买2辆   多少钱？

   （2）小明用50元买2个 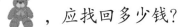 ，应找回多少钱？

   （3）你还能提出其他数学问题并解答吗？

3. 列竖式计算。

   12×8   13×7   61×6   321×4

   14×5   18×3   71×4   911×6

4.

   这栋楼房共有6个单元，每单元住18户。一共可住多少户？

5. 下面的计算正确吗？把错误的改正过来。

```
  12
×  7
————
  74
```

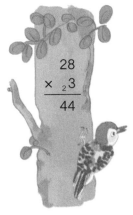

```
  28
× ₂3
————
  44
```

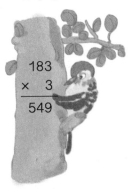

```
 183
×  3
————
 549
```

```
  23
×  4
————
 812
```

6. 先估一估，再列竖式计算。

| 36×7 | 48×6 | 59×8 | 72×4 |
| 27×9 | 313×5 | 499×3 | 824×5 |

7. 身长5厘米的蚱(zhà)蜢(měng)一次跳跃的距离是它身长的75倍。蚱蜢一次能跳多远？

你一次跳远的距离能超过蚱蜢吗？

8.

发练习本喽！

每个学生发6本练习本。三（1）班有32名学生，一共要发多少本练习本？

9.

| 24元 | 65元 | 36元 | 12元 | 78元 |

（1）买7台  ，一共多少钱？

（2）你还能提出其他数学问题并解答吗？

10.

我上初中了，每天上学要骑7分钟。

她平均每分钟骑185米。

小玲

小玲家到学校的路程有多少米？

11.

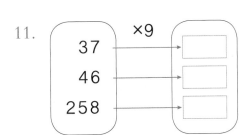

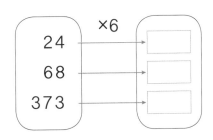

12. 电影院每天放映 4 场电影。每天最多能有多少人看电影?

每场最多卖 278 张票!

13.

| 12 | →×8 | | →×7 | | →×3 | |

14. 400 名学生乘 7 辆汽车去郊游。前 6 辆车各坐 57 名学生，第 7 辆车要坐多少名学生?

15.* 观察下面各题，你能发现什么规律?

99×1=99
99×2=198
99×3=297
99×4=396
……
99×8=
99×9=

根据发现的规律，你能不计算就说出下面两道算式的积吗?

4

7个盘子里一共还有多少个桃子？

0+0+0+0+0+0+0=0 （个）

0×7=0 （个）　　7×0=0 （个）

想一想：

0×3= □　　　9×0= □　　　0×0= □

0和任何数相乘都得0。

做一做

1.　0×2=　　　　5×0=　　　　0×6=　　　　0×8=

　　2×0=　　　　5+0=　　　　6×0=　　　　0+8=

2.　在◯里填上适当的符号。

　　4◯0=0　　　　0◯4=4　　　　0◯4=0

　　7◯7=0　　　　10◯0=0　　　　0◯0=0

5 运动场的看台分为 8 个区，每个区有 604 个座位。运动场共有多少个座位？

$$604×8=\underline{\hspace{2cm}}$$

600×8=4800，应该比4800 人多一些。

哇！原来有这么多座位呀！

$$\begin{array}{r} 6\ 0\ 4 \\ \times\quad {}_3 8 \\ \hline \square\ \square\ \square\ 2 \end{array}$$

想：十位上写几？

6 学校图书室买了 3 套《小小科学家》丛书，每套 280 元。一共花了多少钱？

$$280×3=\underline{\hspace{2cm}}$$

还可以这样写：

$$\begin{array}{r} 2\ 8\ 0 \\ \times\quad {}_2 3 \\ \hline 8\ 4\ 0 \end{array} \qquad \begin{array}{r} 2\ 8\ |\ 0 \\ \times\quad {}_2 3\ |\ \\ \hline 8\ 4\ |\ 0 \end{array}$$

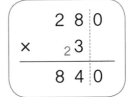

你喜欢哪一种写法？

做一做

1. 把乘得的积填在下面的空格里。

×	207	106	205	408	396	657
4						

2. 列竖式计算。

420×6   370×5   130×9   260×7

练习十四

1. 708×3   607×5   309×4
   502×3   109×7   406×6

2.

我的体重是你的 8 倍。

505 千克   （   ）千克

3. 在 ◯ 里填上 ">" "<" 或 "="。

   7×0 ◯ 7+0   14×6 ◯ 16×4   130×0 ◯ 130−0
   54+0 ◯ 54−0   304×8 ◯ 2400   400+9 ◯ 400×9

4.

每个方阵 108 名学生，一共有多少名学生？

5. 你能很快说出下面两个算式哪个得数大吗？
   1+2+3+4+5+6+7+8+9+0
   1×2×3×4×5×6×7×8×9×0

6. 640×2   450×6   230×4
   270×3   380×5   460×7

7. 一条蚕吐的丝大约 1500 米长。小红养了 6 条蚕，一共大约吐丝多少米？

8.

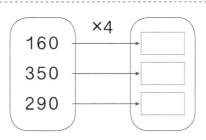

420	×3	
530		
380		

160	×4	
350		
290		

9. 王叔叔平均 1 小时能检测 230 个零件，他每天工作 8 小时，共能检测多少个零件？

10. 算一算，你发现了什么？

$40×7=$ $21×3=$ $34×2=$

$400×7=$ $210×3=$ $340×2=$

11. 下面的计算正确吗？把错误的改正过来。

$$\begin{array}{r} 208 \\ \times\ \ \ 4 \\ \hline 8032 \end{array}$$

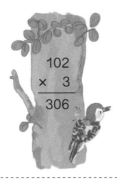

$$\begin{array}{r} 102 \\ \times\ \ \ 3 \\ \hline 306 \end{array}$$

$$\begin{array}{r} 350 \\ \times\ \ \ 6 \\ \hline 210 \end{array}$$

12.* 在 ☐ 里填上合适的数。

$981+982+983+984+985+986+987$

$=984×$ ☐

$=$ ☐

7

门票：
8元/人

三（1）班有29人参观，带250元买门票够吗？

阅读与理解

知道了门票的价格和参观的人数。

要求250元买门票够不够。

分析与解答

我直接算29×8。

29接近30，可以估一估29×8大约得多少。

$$29×8 ≈ 240（元）$$

接近30　　约等号

30×8=240，29×8<240，所以250元钱够了。

回顾与反思

有30人买门票只需240元，所以29人买门票250元肯定够了。

答：带250元买门票够了。

想一想：如果92人参观，带700元买门票够吗？800元够吗？

做一做

王伯伯家一共摘了180千克苹果。一个箱子最多能装32千克，6个箱子能装下这些苹果吗？

8 妈妈买 3 个碗用了 18 元。如果买 8 个同样的碗,需要多少钱?

阅读与理解

我画图来表示。

18 元

? 元

分析与解答

求买 8 个碗用多少钱,要先算什么?

先算一个碗多少钱。

再算 8 个碗要用多少钱。

18÷3=6(元)
6×8=48(元)

18÷3×8
=6×8
=48(元)

回顾与反思

买 8 个碗 48 元, 48÷8=6, 一个碗 6 元, 3 个碗 18 元。对了!

答:需要 48 元。

想一想:18 元可以买 3 个碗, 30 元可以买几个同样的碗?

 做一做

小林读一本故事书, 3 天读了 24 页。

(1)照这种速度, 7 天可以读多少页?

(2)照这种速度, 全书 64 页, 几天可以读完?

9 妈妈的钱买 6 元一个的碗，正好可以买 6 个。用这些钱买 9 元一个的碗，可以买几个？

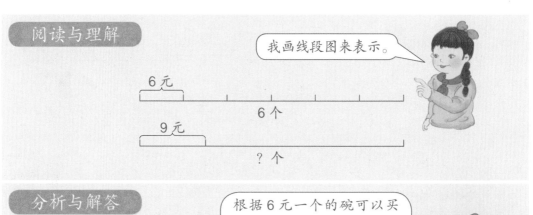

阅读与理解

我画线段图来表示。

6 元

6 个

9 元

? 个

分析与解答

根据 6 元一个的碗可以买 6 个，可以算出总价钱。

知道了这笔钱有多少，再算……

$6 \times 6 = 36$（元）

$36 \div 9 = 4$（个）

$6 \times 6 \div 9$

$= 36 \div 9$

$= 4$（个）

回顾与反思

4 个 9 元的碗和 6 个 6 元的碗，总价钱一样。正确。

答：可以买 4 个。

你是怎样解答的？

做一做

小华读一本书，每天读 6 页，4 天可以读完。

（1）如果每天读 8 页，几天可以读完？

（2）如果他 3 天读完这本书，平均每天读几页？

练习十五

1. 估算。

   76×9≈　　　　　106×5≈　　　　　503×7≈

   432×2≈　　　　　305×8≈　　　　　123×3≈

   246×4≈　　　　　490×4≈　　　　　129×3≈

2. 向东小学 417 名学生乘车参观博物馆。

   8 辆车够吗?

3.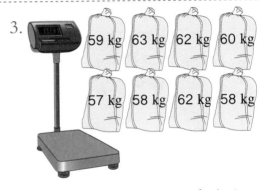

   张大爷家的稻谷大约有多少千克?

4. 一篇文章 500 字,丁叔叔平均每分钟录入 78 个字,6 分钟能录入完吗?

5. 在 ◯ 中填上 ">" "<" 或 "="。

   23×3 ◯ 60　　　　44×2 ◯ 80　　　　82×9 ◯ 700

   489×5 ◯ 2600　　951×6 ◯ 5300　　65×8 ◯ 550

6.

   34 元　　46 元　　58 元

   (1)买 4 个足球,需要多少钱?

   (2)买 8 个篮球,500 元够吗?

   (3)买 5 个排球,付了 200 元,应找回多少钱?

7. 同学们大扫除，3 名同学擦 12 块玻璃。

   （1）照这样计算，6 名同学可以擦多少块玻璃？
   （2）教室共有 36 块玻璃，一共需要几名同学？

8. 买 2 个文具盒要用 18 元。照这样的价格，填写下表。

个数	5			11	13
总价 / 元		54	72		

9. 8 箱蜜蜂可以酿 48 千克蜂蜜。照这样计算，24 箱蜜蜂可以酿多少千克蜂蜜？

10. 豆腐坊用 5 千克黄豆做出 20 千克豆腐。照这样计算，用 75 千克黄豆可以做出多少千克豆腐？

11. 先估一估，再笔算。

   82×3   189×6   404×8   309×6
   720×5   514×4   890×7   665×9

12. 工人师傅准备给动车做电焊，每组 6 人，可以分成 6 组。如果每组 9 人，可以分成几组？

13. 小林用小棒摆了 8 个三角形。如果用这些小棒摆正方形，可以摆多少个？（图形的边不能重合。）

整理和复习

1. 计算下面各题，说一说乘的顺序。

$$\begin{array}{r} 79 \\ \times4 \\ \hline \end{array} \qquad \begin{array}{r} 426 \\ \times7 \\ \hline \end{array} \qquad \begin{array}{r} 205 \\ \times8 \\ \hline \end{array} \qquad \begin{array}{r} 380 \\ \times2 \\ \hline \end{array}$$

2. 选择合适的方法解决下面的问题。

（1）每套课桌椅坐 2 个学生，学校新买来 200 套课桌椅，一共可以坐多少个学生？

（2）阳光小学每个年级都是 136 个学生，全校 6 个年级一共有多少个学生？

（3）小军家距学校有 400 米，他每分钟走 65 米。从家到学校 7 分钟能走到吗？

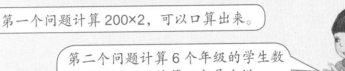

第一个问题计算 200×2，可以口算出来。

第二个问题计算 6 个年级的学生数是 136×6，用笔算不容易出错。

第三个问题可以用估算。65×7 的结果肯定比 400 大，所以能走到。

你能发现什么规律？
在 ▢ 里填上合适的数。

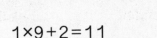

1×9+2=11   ▢ ×9+ ▢ =111111

12×9+3=111   ▢ ×9+ ▢ =1111111

123×9+4=1111   ▢ ×9+ ▢ =11111111

▢ ×9+ ▢ =11111   ▢ ×9+ ▢ =111111111

练习十六

1. 口算。

$60×5=$ $700×6=$ $24×2=$ $32×3=$

$56÷7=$ $34+8=$ $92-6=$ $3000×3=$

2. $96×4$ $905×9$ $108×6$ $670×7$

$127×8$ $604×5$ $405×0$ $234×9$

3. 6 分 = （　）秒 9 千米 -4 千米 = （　）米

3 时 15 分 = （　）分 2 吨 -5 千克 = （　）千克

4. 把 3 本相同的书摞起来，高度是 18 毫米。如果把 30 本这样的书摞起来，高度是多少？

5. 先看一看从第一行的数怎样得到第二行的数，你能发现什么？再把表填完整。

14	23	52	71	315	803	920
56	92	208				

6. 一批电脑捐给希望小学。如果每班 3 台，正好可以分给 15 个班，如果每班 5 台，可以分给几个班？

本单元结束了，你想说些什么？

成长小档案
★★★★★★★

我知道 0 和任何数相乘都得 0 。

有时候估算也能解决问题。

数字编码

你知道邮政编码和身份证号码中的数字或字母表示的含义吗？

邮政编码由六位数字组成：
前两位表示省（自治区、直辖市）；
第三位表示邮区；
第四位表示县（市）；
最后两位表示投递局（所）。

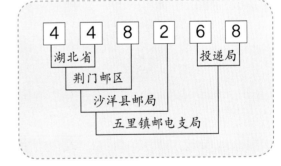

| 4 | 4 | 8 | 2 | 6 | 8 |

湖北省
荆门邮区
沙洋县邮局
五里镇邮电支局
投递局

邮局的叔叔阿姨告诉我一些关于邮政编码的信息。

妈妈说身份证倒数第 2 位的数字是用来区分性别的，单数表示……

我发现身份证号码中 20060221 是我的出生日期。

生活中还有哪些数字编码？你知道这些编码包含的信息吗？

试试看，给学校的每名学生编一个学号。

学号中要包含哪些信息呢？

要包含年级和班级……

还要包含性别……

年级每年都要变，但入学年份是不变的。

先给全班同学排一下序号。

这么多信息，怎么排序呢？

可以用1表示男生，2表示女生。

姓名	年级	班级	性别	入学年份	班级排序	学号
丁小琪	四	3	女	2009	28	200903282
王奕飞	三	1	男	2010	01	201001011

_____小学 学号登记表

长方形和正方形

1 把你认为是四边形的图形圈出来。

四边形有什么特点?

有4个角。

有4条直的边。

做一做

1. 说说身边哪些物体的表面是四边形的。

2. 在下面的点子图上画出几个不同的四边形。

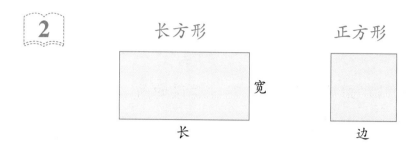

长方形　　　　　正方形

宽

长　　　　　　　边

长方形和正方形有什么特点？

正方形的4条边都相等。

长方形的对边相等。

长方形和正方形都有4个直角。

做一做

1. 在下面的方格纸上画出一个长方形和一个正方形。

2. 按照右面的样子，用一张长方形纸剪出一个正方形。说一说为什么这样剪。

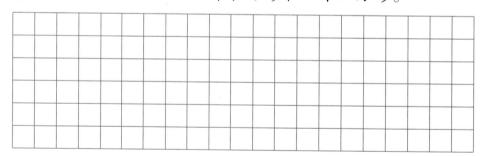

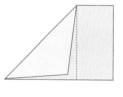

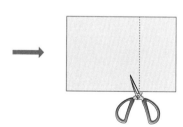

练 习 十 七

1. 下面的说法正确吗？正确的画"√"，错误的画"×"。

  （1）四边形有 4 条直的边。　　　　　（　　）

  （2）四边形有 4 个直角。　　　　　　（　　）

  （3）四边形的对边相等。　　　　　　（　　）

2. 下面的图形哪些是长方形？哪些是正方形？哪些是平行四边形？把序号填出来。

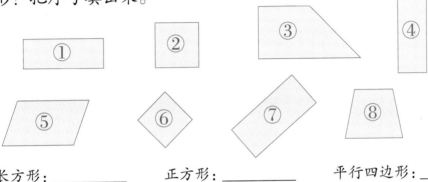

  长方形：_____　　正方形：_____　　平行四边形：_____

3. 信封里装的是个四边形，猜一猜可能是什么形状。

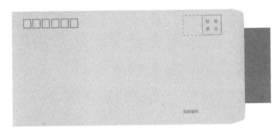

4. 填一填。

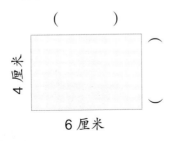

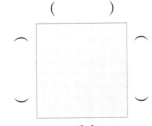

5. 用两副同样的三角尺，分别拼成一个长方形和一个正方形。

6. 在下面的方格纸上按要求画图形。
   （1）长3厘米，宽2厘米的长方形。
   （2）边长为4厘米的正方形。

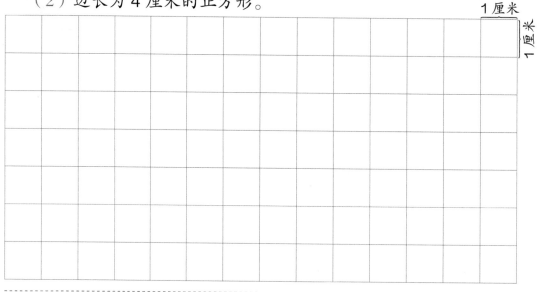

1厘米

1厘米

7. 下图是一个长方形。

6厘米

8厘米

   （1）在图中画出一个最大的正方形，这个正方形的边长是（　）厘米。
   （2）剩下的图形是一个长方形，长是（　）厘米，宽是（　）厘米。
   （3）在剩下的图形里再画出一个最大的正方形，这个正方形的边长是（　）厘米。

8. 试一试，把一个正方形折成相同的两部分。

还有其他折法吗？

3

封闭图形一周的长度，是它的周长。

 有办法知道上面这些图形的周长吗？

做一做

先量一量，再算出下面图形的周长各是多少。

练 习 十 八

1. 下面各图中，哪些是封闭图形？描出封闭图形的边线。

2. 下图是一个公园的示意图。王奶奶绕着公园走一圈是多少米？

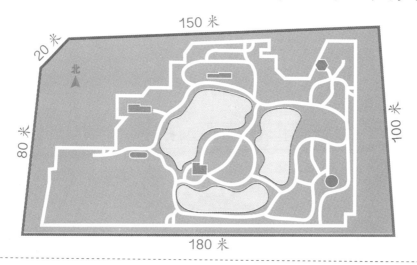

3. 下面每组图形的周长一样吗？你是怎样想的？

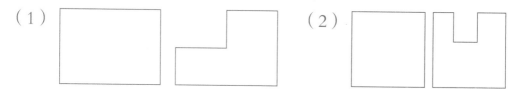

（1）　　　　　　　　　　　　　　（2）

4. 量一量，填一填。

姓名	
头围	厘米
胸围	厘米
腰围	厘米

计算下面长方形和正方形的周长。

6厘米

4厘米

5厘米

我是这样算的。

我是这样算的。

长方形的周长：
6+4+6+4=20（厘米）

正方形的周长：
5+5+5+5=20（厘米）

长方形的周长：
（6+4）×2=20（厘米）

正方形的周长：
5×4=20（厘米）

你喜欢哪种方法？

长方形的周长 = ＿＿＿＿＿＿＿

正方形的周长 = ＿＿＿＿＿＿＿

做一做

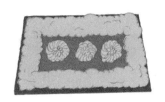

1. 一个长方形花坛的长是5米，宽是3米。这个花坛的周长是多少米？

20分米

2. 一块正方形桌布（如右图），要在它的四周缝上花边，花边的长是多少分米？

5 用16张边长是1分米的正方形纸拼长方形和正方形。怎样拼，才能使拼成的图形周长最短？

阅读与理解

用 16 张正方形纸拼图形，有不同的拼法。

要解决的问题是什么？

分析与解答

怎样拼使周长最短？画图试一试。

我这样拼，周长是 _____ 分米。

小明

这样拼呢？

我这样拼，周长是 _____ 分米。

小华　　　　　　　　　　　小军

_____ 拼出的图形的周长最短。

回顾与反思

只有这三种拼法吗？

如果用 36 张正方形纸拼呢？你发现了什么？

练 习 十 九

1. 先量一量，再计算周长。

2.

篮球场长 28 米，宽 15 米。

篮球场的周长是多少米？

3. 用一根 36 厘米长的铁丝围一个正方形，这个正方形的边长是多少厘米？

4. 把 18 幅绘画作品贴在一起，做一个"绘画园地"。要在"绘画园地"的四周贴上花边。

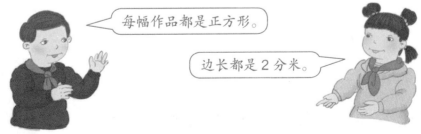

每幅作品都是正方形。

边长都是 2 分米。

怎样设计"绘画园地"，才能使贴的花边最少？

5. 从小红家到学校有下面几条路可以走。你能说出哪条路近，哪条路远吗？

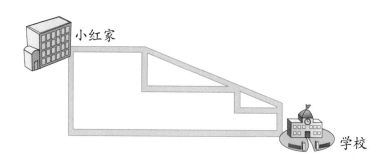

6. 一个长方形的宽是 4 厘米，长是宽的 3 倍。这个长方形的长是多少厘米？周长是多少厘米？

7. 一块长方形菜地，长 6 米，宽 3 米。四周围上篱笆，篱笆长多少米？如果一面靠墙，篱笆至少要多少米？

8. 下图的长方形分成了两个部分，哪个部分的周长长？

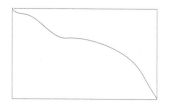

9.* 下图中大正方形的周长是 24 厘米，小正方形的周长是 12 厘米。这两个正方形拼成的图形的周长是多少厘米？

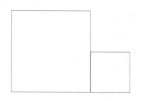

本单元结束了，你想说些什么？

成长小档案

★★★★
★★★

我会计算一个图形的周长了。

我能用一张长方形纸折出一个正方形。

8 分数的初步认识

1. 分数的初步认识

几分之一

1

这块月饼我们一人一半。

把一块月饼平均分成 2 份，每份是这块月饼的一半，也就是它的二分之一，写作 $\frac{1}{2}$。

把一块月饼平均分成 4 份，每份是它的（　）分之一，写作 $\frac{1}{(\ \ )}$。

把一个圆平均分成 3 份，每份是它的（　）分之（　），写作 $\frac{(\ \ )}{(\ \ )}$。

把一张长方形纸平均分成 5 份。指出它的五分之一，并涂上颜色。

像 $\frac{1}{2}$、$\frac{1}{3}$、$\frac{1}{4}$、$\frac{1}{5}$ 这样的数，都是分数。

$$\frac{1 \cdots\cdots 分子}{3 \cdots\cdots 分母} \cdots\cdots 分数线$$　　读作：三分之一

2 拿一张正方形纸折一折，表示出它的 $\frac{1}{4}$ 。

我这样折！

我是这样折的。

3 比一比。

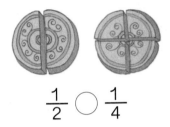

$\frac{1}{2}$ ○ $\frac{1}{4}$

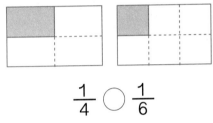

$\frac{1}{4}$ ○ $\frac{1}{6}$

你发现了什么？

做一做

1.

$\frac{(\ \ )}{(\ \ )}$

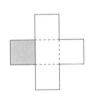

$\frac{(\ \ )}{(\ \ )}$

$\frac{(\ \ )}{(\ \ )}$

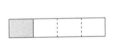

$\frac{(\ \ )}{(\ \ )}$

2. 看图写分数，比大小。

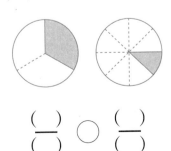

$\frac{(\ \ )}{(\ \ )}$ ○ $\frac{(\ \ )}{(\ \ )}$

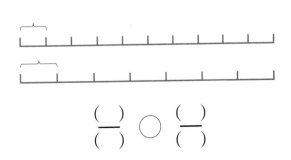

$\frac{(\ \ )}{(\ \ )}$ ○ $\frac{(\ \ )}{(\ \ )}$

几分之几

4 把一张正方形纸折成同样大的 4 份，再把一份或几份涂上颜色。

每份是它的 $\frac{1}{4}$，这样的 2 份是 2 个 $\frac{1}{4}$，就是它的 $\frac{2}{4}$。

3 份是它的 $\frac{3}{4}$。

5 把 1 分米长的一条彩带平均分成 10 份。

每份是它的 $\frac{(\ )}{(\ )}$。

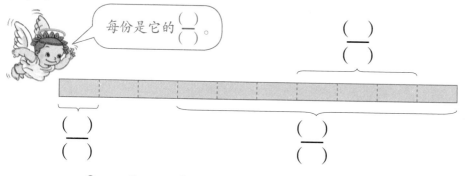

$\frac{(\ )}{(\ )}$

$\frac{(\ )}{(\ )}$

$\frac{(\ )}{(\ )}$

像 $\frac{2}{4}$、$\frac{3}{4}$、$\frac{3}{10}$、$\frac{7}{10}$ 这样的数，也都是分数。

做一做

1. 你能把涂色部分用分数表示出来吗？

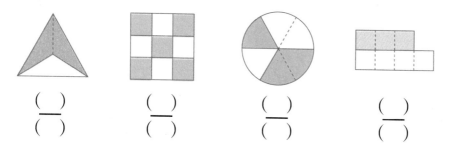

$\frac{(\ )}{(\ )}$ $\frac{(\ )}{(\ )}$ $\frac{(\ )}{(\ )}$ $\frac{(\ )}{(\ )}$

2. 看图写出分数。

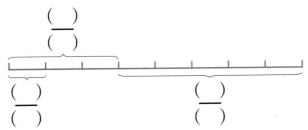

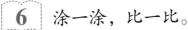

6 涂一涂，比一比。

$\frac{2}{5}$ ○ $\frac{3}{5}$

$\frac{6}{6}$ ○ $\frac{5}{6}$

我涂 $\frac{2}{5}$。

我涂 $\frac{3}{5}$。

做一做

1. 写出涂色部分所表示的分数，再比较每组分数的大小。

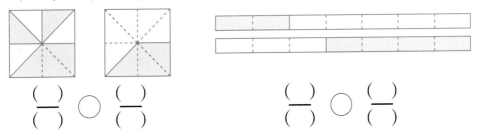

$\frac{(\ )}{(\ )}$ ○ $\frac{(\ )}{(\ )}$

$\frac{(\ )}{(\ )}$ ○ $\frac{(\ )}{(\ )}$

2. 看图写出分数，再比较每组分数的大小。

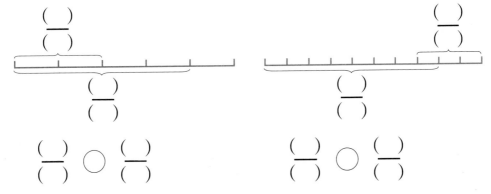

$\frac{(\ )}{(\ )}$ ○ $\frac{(\ )}{(\ )}$

$\frac{(\ )}{(\ )}$ ○ $\frac{(\ )}{(\ )}$

1. 下面的分数能表示各图中的涂色部分吗？能表示的画"✓"，不能表示的画"×"。

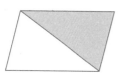

$\frac{1}{2}$ （　） 　　$\frac{1}{3}$ （　） 　　$\frac{1}{4}$ （　） 　　$\frac{1}{5}$ （　）

2. □ 是一个图形的 $\frac{1}{4}$ 。这个图形可能是什么形状？

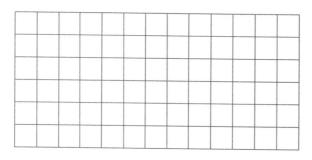

你能在方格纸上画出这个图形吗？

3. 下面是三（1）班黑板报的布局。

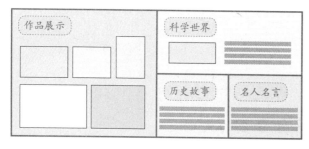

"作品展示"大约占黑板报的几分之一？"科学世界"呢？哪一部分大？

4. 涂一涂。

 　　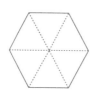 　　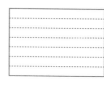 　　

$\frac{3}{8}$ 　　　　$\frac{4}{6}$ 　　　　$\frac{5}{7}$ 　　　　$\frac{7}{10}$

5. 用分数表示下面各图的涂色部分和没有涂色部分。

	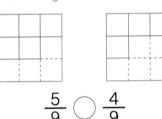			
涂色部分				
没有涂色部分				

6. 比一比。

$\dfrac{5}{9}$ ◯ $\dfrac{4}{9}$ $\dfrac{1}{5}$ ◯ $\dfrac{1}{2}$

7.

我吃 $\dfrac{(\ )}{(\ )}$。

我吃 $\dfrac{(\ )}{(\ )}$。

我吃 $\dfrac{(\ )}{(\ )}$。

剩下 $\dfrac{(\ )}{(\ )}$。

$\dfrac{(\ )}{(\ )}$ > $\dfrac{(\ )}{(\ )}$ > $\dfrac{(\ )}{(\ )}$

8.* 涂色部分是整个图形的几分之几?

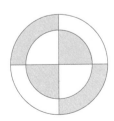 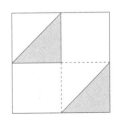 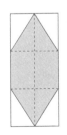

2. 分数的简单计算

1

一个西瓜，哥哥吃了 $\frac{2}{8}$，弟弟吃了 $\frac{1}{8}$。兄弟俩一共吃了这个西瓜的几分之几?

$$\frac{2}{8} + \frac{1}{8} = \underline{\qquad}$$

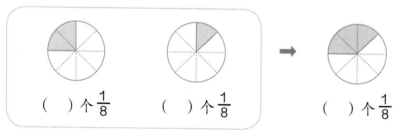

（ ）个 $\frac{1}{8}$ （ ）个 $\frac{1}{8}$ （ ）个 $\frac{1}{8}$

想：2个 $\frac{1}{8}$ 加1个 $\frac{1}{8}$ 是3个 $\frac{1}{8}$，就是 $\frac{3}{8}$。

2 $\frac{5}{6} - \frac{2}{6} = \underline{\qquad}$

去掉（ ）个 $\frac{1}{6}$。

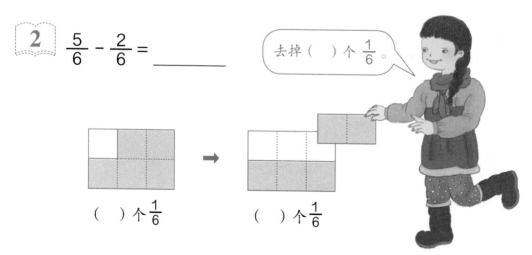

（ ）个 $\frac{1}{6}$ （ ）个 $\frac{1}{6}$

想：5个 $\frac{1}{6}$ 减去2个 $\frac{1}{6}$，剩下3个 $\frac{1}{6}$，就是 $\frac{3}{6}$。

3 $1 - \dfrac{1}{4} =$ _____

1 可以看作 4 个 $\dfrac{1}{4}$，就是 $\dfrac{4}{4}$。

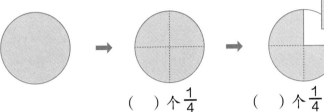

( ) 个 $\dfrac{1}{4}$　　　( ) 个 $\dfrac{1}{4}$

$$1 - \dfrac{1}{4} = \dfrac{4}{4} - \dfrac{1}{4} = \dfrac{3}{4}$$

1.

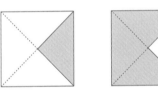

( ) + ( ) =

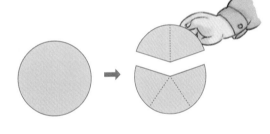

( ) − ( ) =

2.　$\dfrac{1}{2} + \dfrac{1}{2} =$　　　$\dfrac{4}{5} - \dfrac{2}{5} =$　　　$1 - \dfrac{7}{9} =$

　　$\dfrac{2}{7} + \dfrac{2}{7} =$　　　$1 - \dfrac{1}{2} =$　　　$\dfrac{3}{5} + \dfrac{1}{5} =$

3.　一杯果汁，喝了 $\dfrac{5}{6}$，杯中还有几分之几?

1.
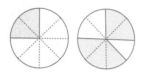
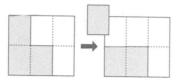

$\frac{2}{8} + \frac{5}{8} =$　　　　$\frac{3}{6} - \frac{1}{6} =$　　　　$1 - \frac{5}{8} =$

2.　$\frac{2}{4} + \frac{1}{4} =$　　　$\frac{2}{7} + \frac{5}{7} =$　　　$\frac{4}{8} + \frac{1}{8} =$　　　$\frac{1}{5} + \frac{3}{5} =$

　　$\frac{4}{6} - \frac{3}{6} =$　　　$\frac{4}{5} - \frac{2}{5} =$　　　$1 - \frac{4}{7} =$　　　$\frac{5}{9} - \frac{3}{9} =$

3. 一块巧克力，小东吃了 $\frac{1}{8}$ ，小红吃了 $\frac{3}{8}$ ，两人一共吃了几分之几？

4. 一块菜地的 $\frac{5}{8}$ 种白菜，剩下的种芹菜。种芹菜的地占整块菜地的几分之几？

5.
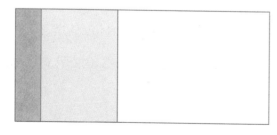
一张长方形纸的 $\frac{1}{10}$ 涂红色， $\frac{3}{10}$ 涂蓝色。没涂色的部分占这张纸的几分之几？

6. 填一填。

$$\frac{3}{8} + \begin{array}{c} \frac{1}{8} \\ \frac{2}{8} \\ \frac{5}{8} \end{array} = \square$$

$$1 - \begin{array}{c} \frac{4}{7} \\ \frac{1}{5} \\ \frac{6}{9} \end{array} = \square$$

7. 工人师傅给一个礼堂铺地砖。

上午铺了 $\frac{1}{5}$，下午铺了 $\frac{2}{5}$。

你能提出什么数学问题？

8.* $\dfrac{(\ \ )}{5} + \dfrac{(\ \ )}{5} = \dfrac{4}{5}$ $\dfrac{(\ \ )}{9} - \dfrac{(\ \ )}{9} = \dfrac{1}{9}$

共有几种填法？

9.* 拿一张长方形的纸对折、再对折……观察并填写下表。你能发现什么规律？

对折次数	1	2	3	4
平均分成的份数				
每份是这张纸的几分之一				

◎ 你知道吗？ ◎

　　分数在我国很早就有了。最初分数的表示法跟现在不一样，例如，$\frac{3}{4}$ 表示成 ‖‖‖。后来，印度出现了和我国相似的分数表示法，$\frac{3}{4}$ 表示成 $\begin{smallmatrix}3\\4\end{smallmatrix}$。再往后，阿拉伯人发明了分数线，分数的表示法就成为现在这样了。

3. 分 数 的 简 单 应 用

 （1）用分数表示涂色部分。

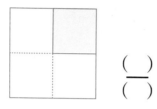

$\dfrac{()}{()}$

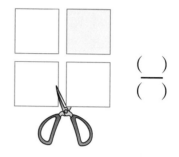

$\dfrac{()}{()}$

（2）

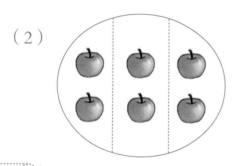

6个苹果平均分成3份，

1份苹果是总数的 $\dfrac{1}{3}$；

2份苹果是总数的 $\dfrac{2}{3}$ 。

做一做

1. 用分数表示下面各图的涂色部分。

 $\dfrac{()}{()}$  $\dfrac{()}{()}$ 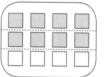 $\dfrac{()}{()}$

2. 有9个 △，把其中的 $\dfrac{1}{3}$ 涂上红色，$\dfrac{2}{3}$ 涂上蓝色。

3. 有10根小棒，取出它的 $\dfrac{2}{5}$ 。

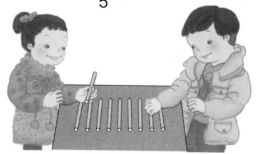

2 有12名学生，其中 $\frac{1}{3}$ 是女生， $\frac{2}{3}$ 是男生。男女生各有多少人？

阅读与理解

知道了什么信息？

"其中 $\frac{1}{3}$ 是女生， $\frac{2}{3}$ 是男生"是什么意思呢？

分析与解答

怎样求女生的人数呢？

因为 $\frac{1}{3}$ 是女生，要求女生人数就要把12平均分成3份，求出1份是多少。

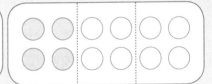

$$12 \div 3 = 4（人）$$

怎样求男生的人数呢？

因为 $\frac{2}{3}$ 是男生，要求男生人数就要把12平均分成3份，求出2份是多少。

$$12 \div 3 = 4（人）$$
$$4 \times 2 = 8（人）$$

回顾与反思

回顾一下解答的过程。

答：女生有4人，男生有8人。

练 习 二 十 二

1. 把 8 个 ⬡ 平均分成 4 份，1 份是 ⬡ 总数的 $\dfrac{(\ )}{(\ )}$，有（ ）个；

   2 份是 ⬡ 总数的 $\dfrac{(\ )}{(\ )}$，有（ ）个。

2. 涂色表示各图下面的分数。

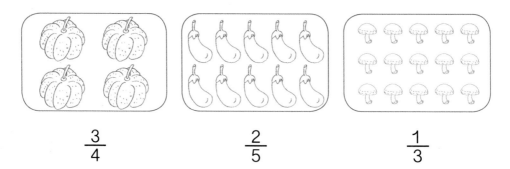

$\dfrac{3}{4}$　　　　　　　　$\dfrac{2}{5}$　　　　　　　　$\dfrac{1}{3}$

3. 涂色部分占总数的几分之几？说一说。

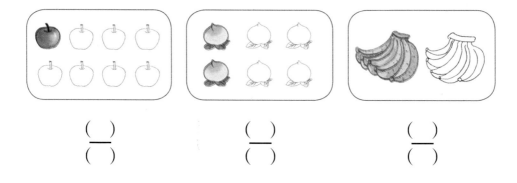

$\dfrac{(\ )}{(\ )}$　　　　　　　　$\dfrac{(\ )}{(\ )}$　　　　　　　　$\dfrac{(\ )}{(\ )}$

4. 分一分，算一算。

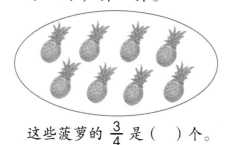　　　　　　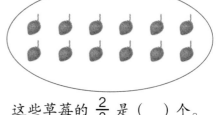

这些菠萝的 $\dfrac{3}{4}$ 是（ ）个。　　　　这些草莓的 $\dfrac{2}{3}$ 是（ ）个。

5. 一堆小棒有 18 根。拿出这堆小棒的 $\frac{1}{3}$，拿出了（ ）根。

6. 学校饲养组养了 15 只兔子。其中 $\frac{1}{3}$ 是黑兔，黑兔有多少只？

7. 图书角有 45 本图书。其中 $\frac{2}{5}$ 是故事书，故事书有多少本？

8.
我吃了这盘鱼的 $\frac{1}{3}$ 。

我吃了这盘鱼的 $\frac{1}{5}$ 。

谁吃得多？

15 条

9. 在每幅图里涂上颜色，分别表示出它的 $\frac{3}{5}$ 。

本单元结束了，你想说些什么？

成长小档案

★★★★
★★★★

半个月饼可以说成 $\frac{1}{2}$ 个月饼，真有意思！

我会用不同的折法表示一张长方形纸的 $\frac{1}{4}$ 。

103

数学广角——集合

1 下面是三（1）班参加跳绳、踢毽比赛的学生名单。

跳绳	杨明	陈东	刘红	李芳	王爱华	马超	丁旭	赵军	徐强
踢毽	刘红	于丽	周晓	杨明	朱小东	李芳	陶伟	卢强	

参加这两项比赛的共有多少人？

跳绳的有9人，踢毽的有8人。

一共有17人。

可是参加这两项比赛的没有17人呀？

怎样表示能清楚地看出来呢？

我发现有的人两项比赛都参加了。

我把两项比赛都参加的人连起来，有3个重复的。

杨明 陈东 刘红 李芳 王爱华 马超 丁旭 赵军 徐强

刘红 于丽 周晓 杨明 朱小东 李芳 陶伟 卢强

跳绳的学生　　　　　踢毽的学生

用图表示就清楚了。

↑
两项都参加的学生

想一想：可以怎样列式解答？

1. 把下面动物的序号填写在合适的圈里。

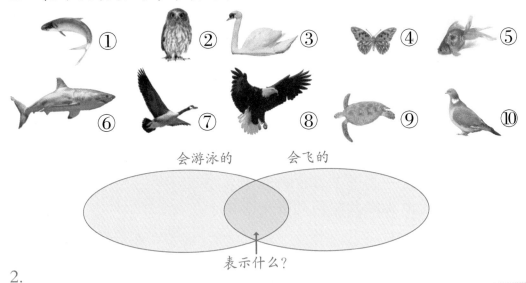

会游泳的　　会飞的

表示什么？

2.

光荣榜

"语文之星"获奖名单	★	"数学之星"获奖名单

"语文之星"获奖名单

李小红　王青　陈力　赵阳
杨柳　刘海　周丽　马红艳
张芳　魏东东　罗晓梅　申明
田宇

"数学之星"获奖名单

吕明　刘海　王青　苏美
申明　张可欣　田宇　陈静蕾
马红艳　刘多　罗晓梅　赵东

（1）既荣获"语文之星"又荣获"数学之星"的有（　）人。

（2）上光荣榜的一共有（　）人。

学校举行乒乓球比赛，A组、B组两个小组各有16人，每组两人一对进行比赛，负者被淘汰、胜者进入下一轮，最后两组第一名进行决赛。两个小组赛一共要进行多少场比赛？

练 习 二 十 三

1.

昨天进的水果品种

今天进的水果品种

（1）商店两天一共进了多少种水果？

（2）你能提出其他数学问题并解答吗？

2. 学校歌舞小组中会唱歌的有魏东、马晓军、孙晓明、黄阳、崔美兰、王哲、罗红、宋玲玲、沈欢，会跳舞的有高新、郑虹、马晓军、胡霞、黄阳、万大林、宋玲玲、姜旭、罗红、徐丽娟。

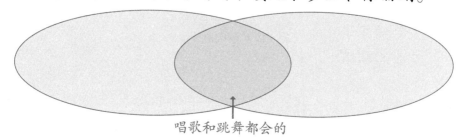

唱歌和跳舞都会的

（1）既会唱歌又会跳舞的有（　　）人。

（2）学校歌舞小组一共有多少人？

（3）你能提出其他数学问题并解答吗？

3. 在圈中填上合适的数。

（1）两个圈里都有的数有多少
个？请你用画图的方法表
示出来。

（2）你能提出其他数学问题并
解答吗？

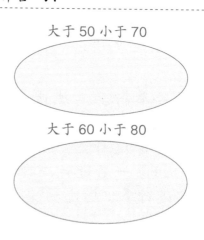

大于 50 小于 70

大于 60 小于 80

4. 小雨一家去采摘。爷爷、爸爸、外公、姨妈、小雨、叔叔6人采摘了圣女果，奶奶、妈妈、爷爷、小雨4人采摘了草莓，姑姑、舅舅、外婆3人采摘了小黄瓜。

（1）采摘圣女果和小黄瓜的共有多少人？
（2）采摘圣女果和草莓的共有多少人？

5. 同学们到动物园游玩，参观熊猫馆的有25人，参观大象馆的有30人，两个馆都参观的有18人。

（1）填写右边的图。
（2）去动物园的一共有（　　）人。
（3）你能提出其他数学问题并解答吗？

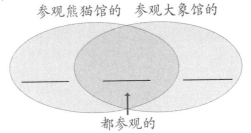

参观熊猫馆的　参观大象馆的

↑
都参观的

6. 三个小朋友比赛，看谁写出带"春"字的成语多。小刚写出了15个，小佳写出了8个，小红写出了10个。小佳写出的8个成语小刚都写出来了，小红写出的成语中有5个小刚也写出来了。

（1）小刚和小佳一共写出多少个成语？
（2）小刚和小红一共写出多少个成语？

先用图试一试。

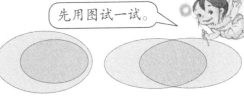

练习中的第6题启发了我：面对很多信息时要思考清楚了再列式计算。

本单元结束了，你想说些什么？

成长小档案

用画图的方法解决问题容易理解。

10 总复习

成长小档案

这学期学习有什么收获？

认识了分数。

$\dfrac{1}{4}$

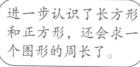

进一步认识了长方形
和正方形，还会求一
个图形的周长了。

我知道了时、
分、秒的关系。

1 时 =60 分
1 分 =60 秒

我学会乘数是一位
数的乘法了……

我还能口算呢！

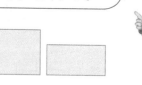

$$\begin{array}{r} 1\,5 \\ \times\quad 6 \\ \hline 9\,0 \end{array}$$

学习中最有趣的事情是什么？

用数数的方法可以估计出
30 秒的时间，很有意思！

从身份证号码中可以知道
一个人的生日，真有趣！

1.

航线	里程 / 千米
北京——上海	1088
北京——成都	1542
北京——广州	1907
北京——台北	1729
北京——三亚	2541
北京——乌鲁木齐	2464

（1）在（ ）里填上合适的单位。

1小时飞行750（ ）　　　载质量是50（ ）　　　机身全长38（ ）

（2）

再过20分钟，飞往成都的飞机就要起飞了。

在右图上画出飞机的起飞时间。

（3）一架飞机先从北京飞到广州，再飞行690千米到三亚，一共飞行了多少千米？比从北京直接飞到三亚多飞多少千米？

计算万以内的加、减法要注意什么？

$1907 + 690 = \boxed{}$（千米）

$\boxed{} - 2541 = \boxed{}$（千米）

你能提出一个用加法或减法计算的问题并解答吗？

（4）1架飞机可以载客280人，3架这样的飞机可以载客多少人？

多位数乘一位数要注意些什么？

$280×3=\boxed{}$（人）

估一估，5架这样的飞机大约可以载客多少人。

（5）飞机从北京飞往西安大约需要2小时，飞往乌鲁木齐的时间是飞往西安的2倍。北京飞往乌鲁木齐大约需要几小时？

$\boxed{}\bigcirc\boxed{}=\boxed{}$（时）

2. 用两个长是6厘米，宽是3厘米的长方形分别拼成一个长方形或一个正方形。

它们的周长分别是多少厘米？

3. 下面是用分数砌成的"分数墙"。

$\frac{1}{2}$		$\frac{1}{2}$	
$\frac{1}{3}$	$\frac{1}{3}$	$\frac{1}{3}$	
$\frac{1}{4}$	$\frac{1}{4}$	$\frac{1}{4}$	$\frac{1}{4}$
$\frac{1}{5}$ $\frac{1}{5}$ $\frac{1}{5}$ $\frac{1}{5}$ $\frac{1}{5}$			
$\frac{1}{6}$ $\frac{1}{6}$ $\frac{1}{6}$ $\frac{1}{6}$ $\frac{1}{6}$ $\frac{1}{6}$			
$\frac{1}{7}$ $\frac{1}{7}$ $\frac{1}{7}$ $\frac{1}{7}$ $\frac{1}{7}$ $\frac{1}{7}$ $\frac{1}{7}$			
$\frac{1}{8}$ $\frac{1}{8}$ $\frac{1}{8}$ $\frac{1}{8}$ $\frac{1}{8}$ $\frac{1}{8}$ $\frac{1}{8}$ $\frac{1}{8}$			
$\frac{1}{9}$ $\frac{1}{9}$ $\frac{1}{9}$ $\frac{1}{9}$ $\frac{1}{9}$ $\frac{1}{9}$ $\frac{1}{9}$ $\frac{1}{9}$ $\frac{1}{9}$			

（1）在"分数墙"里你能找到哪些分数？把它们从小到大排列起来。

（2）1里面有几个 $\frac{1}{2}$ 、几个 $\frac{1}{3}$ 、几个 $\frac{1}{4}$ ……几个 $\frac{1}{9}$ ？

（3）哪几个分数相加的和等于1？

（4）你能提出其他数学问题并解答吗？

练习二十四

1. 在（ ）里填上适当的数。

4 千米 =（   ）米   5 厘米 =（   ）毫米

70 厘米 =（   ）分米   3 分 =（   ）秒

8000 千克 =（   ）吨   120 分 =（   ）时

2. 在（ ）里填上合适的单位。

（1）北京到上海的高速铁路长 1318（   ）。

（2）一桶色拉油重 5（   ）。

（3）一个鸭蛋约重 60（   ）。

（4）一部手机大约厚 1（   ）。

3.

这场电影放映了多长时间？

4.

小刚家   书店 学校   超市

小刚家到学校有 2500 米，到超市有 6000 米。书店到超市有 4000 米。

（1）学校到超市的距离是（   ）米，书店到学校的距离是（   ）米。

（2）小刚家到书店的距离是（   ）米，合（   ）千米。

5. | 175+62 | 985-423 | 259+148 | 627+86 |
   | 806-714 | 325+464 | 310-207 | 804-546 |

6. 计算，能口算的就口算。

   22×3　　　15×6　　　204×7　　　913×8

   41×2　　　156×9　　　2600×4　　　190×5

7. 先估算一下，连一连，再计算。

   | 1700×3 | 192×3 | 302×8 | 42×6 |

   | 252 | 576 | 5100 | 2416 |

8. 剧场有 870 个座位。

这场的票都卖完了。

票价 8 元

这场的票房收入是多少元？

9.

4元　　　　16元　　　（　）元　　　（　）元

（1）笔袋的价钱是三角尺的几倍？

（2）彩笔的价钱是三角尺的 9 倍。一盒彩笔多少钱？

（3）笔袋的价钱是钢笔的 2 倍。一支钢笔多少钱？

（4）你还能提出哪些数学问题？

10. $\dfrac{3}{5}+\dfrac{1}{5}=$　　　$\dfrac{5}{7}-\dfrac{2}{7}=$　　　$\dfrac{4}{9}+\dfrac{1}{9}=$　　　$\dfrac{6}{6}-\dfrac{3}{6}=$

   $1-\dfrac{2}{3}=$　　　$\dfrac{1}{6}+\dfrac{5}{6}=$　　　$\dfrac{7}{8}-\dfrac{4}{8}=$　　　$\dfrac{1}{4}+\dfrac{3}{4}=$

11.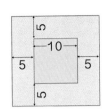

左图中小正方形的边长是 10 厘米，大正方形的周长是多少？

（单位：厘米）

12. 一张长方形纸，长 30 厘米，宽 21 厘米。从这张纸上剪下一个最大的正方形。正方形的周长是多少厘米？剩下的图形的周长是多少厘米？

13. 分针从 12 旋转到下面各个位置，所经过的区域占整个钟面的几分之几？用分数表示出来。

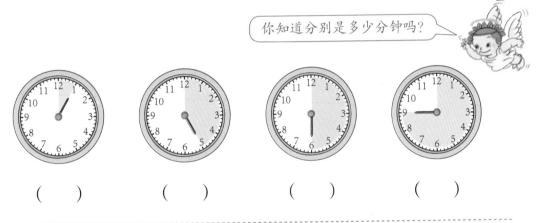

你知道分别是多少分钟吗？

（　　　）　　　（　　　）　　　（　　　）　　　（　　　）

14.

买 3 张票……

每张火车票 215 元。

去旅游喽！

回来还乘同样票价的火车，这次旅游买火车票一共花了多少钱？

15.

我今年64岁。

我的年龄是爷爷的 $\frac{1}{8}$，爸爸的年龄是我的4倍。

小兰的爸爸和小兰各是多少岁？

16. 李叔叔靠墙角用篱笆围了一块长方形地用来养鸡。篱笆长多少米？

这块地长8米，宽6米。

17.

我们村前年只有16户使用天然气。

兴华村去年使用天然气的户数是前年的4倍，今年使用天然气的又比去年增加了20户。今年使用天然气的一共有多少户？

18.
```
  □ 6 □          □ 2 □              8 □ 9
+ 3 □ 4        - 6 □ 7          +   1 4 □
─────          ─────            ─────────
  9 0 7          2 4 1          □ □ 3 1
```

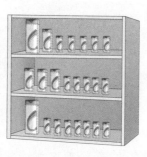

商店货架上摆放着大、中、小瓶三种洗发液。只知道小瓶里装200克，每层装的洗发液同样重。大瓶、中瓶里各装多少克洗发液？

自我评价

同学们，这学期要结束了，给自己的表现画上小红花吧！

学习表现	🌸🌸🌸	🌸🌸	🌸
喜欢学习数学			
愿意参加数学活动			
上课专心听讲			
积极思考老师提出的问题			
主动举手发言			
喜欢发现数学问题			
愿意和同学讨论学习中的问题			
敢于把自己的想法讲给同学听			
认真完成作业			

你觉得你还应该在哪些方面更努力些？

后　记

　　本册教科书是人民教育出版社课程教材研究所小学数学课程教材研究开发中心依据教育部《义务教育数学课程标准》（2011年版）编写的，经国家基础教育课程教材专家工作委员会2013年审查通过。

　　本册教科书集中反映了基础教育教科书研究与实验的成果，凝聚了参与课改实验的教育专家、学科专家、教研人员以及一线教师的集体智慧。我们感谢所有对教科书的编写、出版提供过帮助与支持的同仁和社会各界朋友，以及整体设计艺术指导吕敬人等。

　　本册教科书出版之前，我们通过多种渠道与教科书选用作品（包括照片、画作）的作者进行了联系，得到了他们的大力支持。对此，我们表示衷心的感谢！但仍有部分作者未能取得联系，恳请入选作品的作者与我们联系，以便支付稿酬。

　　我们真诚地希望广大教师、学生及家长在使用本册教科书的过程中提出宝贵意见，并将这些意见和建议及时反馈给我们。让我们携起手来，共同完成义务教育教材建设工作！

联系方式
电　　话：010-58758309
电子邮件：jcfk@pep.com.cn

人民教育出版社 课程教材研究所
小学数学课程教材研究开发中心
2013年5月